私の愛国心

―ニヒリズム（虚無）と無―

堀江秀治

文芸社

まえがき

私は前作『天才と狂気との関係について』、そしてその扉に「私は『運命』と和解した」と記した。その意味するところは、その著作をもって私の思想的使命を終えたとするものであった。そして私自身もその積もりでいた。しかしそれを許さぬものが、私の内部にあった。

私の人生は、半ば私自身、理解不能、挫折、失敗の連続であった。しかしあたかも、武士の意地とでも言うべきものが、決して弱音を吐くまいと、そうしたことを他人《ひと》に吐露したことはなかった。たとえばあの三島由紀夫でさえ「私は戦後を鼻をつまんで生きてきた」と言った。もっとも三島は作家として成功者であるのに対し、私は無名の隠遁者であるという違いはあるが。そして彼にしても、あるいはまた後に述べるニーチェにしても、自分たちの思想が五〇年後、一〇〇年後に「分かった」という人が現れるかもしれない、という意味の極めて悲観的、というより、半ば人類を「末人《まつじん》」的に見るような、突き放したようなところがある。それと同様に、私も私の思想が分かる人が現れるとは思わない。

なぜなら私同様、彼らの思想も狂気に駆られたものだからである。そしてその狂気の名（思想）をニヒリズム（虚無）と呼ぶ。

西洋人は簡単に愛国心と呼ぶ。しかし彼らはどのようにして愛国心を持つに至ったのか、そのメカニズムを知らない。ましてやそうであれば、戦後の空っぽ頭の猿マネ（真似）日本人に西洋の愛国心など分かるはずもない。それを明らかにするためには、どうしてもニヒリズム・無について言及しなければならぬのだが、それは極めて分かりにくいので最終章に置くことにした。しかしそれに触れぬ限り、私の思想は成り立たない。従ってそれに関連した私の思想造語、たとえば「歴史的古層」「自己偽善」等の思想の下に本書は成り立っている。

なお、本書には愛国心とはまったく関係のない内容が含まれ、――それは最初に置くべき定義（ニヒリズム（虚無）・無）が私自身よく分からなかったが故に――それを結果的に最後に持ってくることで、内容がかなり錯綜することになってしまった。

後にその不要な部分を省くことも可能だったが、「考える」能力を持たぬ――ただ暗記することを「考える」ことだと思っている――日本人に「考える」ということが、時にいかに無駄道であり、遠回りであるかを、そしてそれがさながら宗教的苦行のような行為であるかを、分かってもらいたいので残すことにした。
さらに結論的なことを先に言っておけば、愛国心を持とうと持つまいと、また分かろうと分かるまいと、どうでも良いということである。つまり愛国心がたとえ嘘であっても、それを信じなければただ国が亡びるだけだ、ということである。それは福沢諭吉の『学問のすゝめ』の「一身独立して一国独立する事」の項の次の箇所に示されている。

……もとこの国の人民、主客の二様に分かれ、主人たる者は千人の智者にて、よきように国を支配し、その余の者は悉皆《しっかい》何も知らざる客分なり。既に客分とあれば固《もと》より心配も少なく、ただ主人にのみ依りすがりて身に引き受くることなきゆえ、国を患《うれ》うることも主人の如くならざるは必然、実に水くさき有様なり。国内の事なれば兎《と》も角《かく》もなれども、一旦外国と戦争などの事あらばその不都合なること思い見るべし。無智無力の小民等、戈《ほこ》を倒《さかしま》にすることも無かるべけれども、我々は客分のことなるゆえ一命を棄つるは過分なりとて逃げ走る者多かるべし。さすればこの国の人口、名は百万人なれども、国を守るの一段に至ってはその人数甚だ少なく、迚《とて》も一国の独立は叶《かな》い難きなり。

彼の言う愛国心（報国心）とは、賊が家に入ってきたら（時には入ってくる前に）、主人は家族を守るために命を賭けて戦わねばならぬ、ということである。ただ「逃げ走る」「客分」（農工商＝「村」人）では、家（国家）は亡びるということである。

愛国心はこうした思想に基づくものである。ただ明治の武士出身の政治家・思想家らの過ちは、素朴に「逃げ走る」「客分」が「主人」になれる、と思ってしまったことである。彼らは、両者が天と地とほどに違った存在であることに気づかなかった。

たとえば、山県有朋は西洋をマネして、愛国心に基づく徴兵制を敷けば問題は解決する、と思ってしまった。むろん彼は（福沢も）武士の目で他者を見る（単眼で見る）ことしかできなかったから、已むを得なかったが、それでは国が亡びるということが分からなかった。

以下、そうした彼らの欠陥を補うために、私なりの思想、論理をもって説明しようとする試みである。

なお、本書はケント・ギルバート著『ついに「愛国心」のタブーから解き放たれる日本人』、および佐伯啓思著『自由と民主主義をもうやめる』に刺激されて書かれたものである。

私の愛国心◎目次

第一章　愛国心について

ギルバート氏・佐伯氏、両著作の問題点

ギルバート氏はその著作で「はじめに――愛国心と日本人」として次のように記している。

Q：「あなたは日本人に生まれて良かったと思いますか？」
A：「はい」
Q：「日本という国が好きですか？」
A：「はい」
Q：「ということは、日本に愛国心を持っているのですね？」
A：「う〜ん、愛国心ですか……」

日本人に「愛国心」について街頭インタビューをしたら、このようなやりとりが続出するのではないでしょうか。一〇〇パーセントの確信をもって断言しますが、現代

の日本人は「愛国心」という言葉に対して、何かしらの抵抗感を持っています。

後に述べるように、日本人がそれに対して何かしらの「抵抗感を持ってい」るのは事実である。それを明らかにするのが、本書の目的の一つである。

また同書は「第3章『草莽＝Grass Roots Patriots』と武の精神」の「草莽の意識は今の日本人に残っているか」の項で次のように述べている。少し長くなるが本質的問題なので引用させてもらう。

スイス・チューリヒにある「ＷＩＮ――ギャラップ・インターナショナル」という機関が二〇一四年末に、世界六四カ国・地域で「自国のために戦う意思」について実施した世論調査があるのですが、日本はわずか一一パーセントというスコアとなり、世界で最低でした。何年かに一回実施されているアンケート調査ですが、日本は長年、ずっと世界最低を維持し続けています。

世界でいちばん高いのは、モロッコやフィジーで九四パーセント、パキスタンやベトナムが八九パーセントとなっています。ちなみに、中国は七一パーセント、アメリカは四四パーセントです。過酷な受験戦争や就職難に嫌気《いやけ》がさし、若者たちが自国を「ヘル（地獄の）朝鮮」と揶揄《やゆ》するお隣の韓国ですらも、四二パーセントが国のために戦うといってます。

では、日本人は国のためには戦いたくないのか。そこは一概にいえません。なぜなら、このアンケートの答えは「はい」「いいえ」「わからない」の三択であり、日本人は「わからない」が世界でいちばん多く、四二パーセントにも上るのです。

大東亜戦争の敗北後、日本を永久に武装解除し、日本人を精神的に骨抜きにすることをめざしたGHQの影響が色濃く残っている証拠です。日本のメディアと教育界は「平和主義」に改宗し、その結果、戦争は怖い、戦争は悪だと日本人は繰り返し教えられてきました。逆に、国家や社会のために自分を犠牲にすることの尊さはまったく教えられず、そんな事態を想定すらせずに生きてきました。テレビで、たまに真面目《まじめ》な番組があるかと思えば、有名なコメンテーターや識者と呼ばれる人たちが深刻な顔で、日本の戦争犯罪や過去の侵略とされるものを通じて、日本の昔の姿を描き出すばかりです。

これでは、自国のために戦うかどうかについて、日本人の多く（半数近く）が本当に「わからない」のも当然でしょう。そんな事態を考えたこともないのですから。

ここで氏の論述に対し、私がある意味意外だと思い、また当然だと思ったのは、氏が同書で書いているように、アメリカでは徹底した愛国教育が行われているにも拘らず、「自国のために戦う意思」を持つ者が四四パーセントだったことである（調査対象の問題もあるだろうが）。もっと高くてもいいと思うのである。が、そうでない理由は、多分アメリカが資本主義（得する主義の）国だ、ということである。つまり金持ち（得している者）は、戦争へ行ってなにも死ぬという損はしないだろう、と考えるからである。戦争へ行くのは、政治家等の金持ちではなく貧乏人だ、ということである。

これは余談になるかもしれぬが、アメリカがイスラム教と戦っても決して勝てぬと思われるのは（人口の問題は別にしても）、オサマ・ビンラディンのような金持ちが、自らの命もいらぬといって戦場へ行く宗教だ、ということである。

いずれにせよ、キリスト教徒は余りに自己の優越意識が強すぎ、他宗教、他民族等を見下すだけで、理解しようという配慮に欠けている。だから9・11同時多発テロ（それは真珠湾も同じである）のような戦争を引き起こすのである。

さらに氏の論述の後半部分に対し、一言付け加えれば、氏はアメリカの価値観（単眼）で日本を計るから、このような結論を引き出すのである。氏は自らの「私は考える」視点で見るから、「わからない」と答える日本人の「考える」能力のなさが、どのような構造のものであるかが理解できない。それを解《と》かぬ限り「わからない」の意味も不分明なままである。

また佐伯氏はその著作の「第五章　日本を愛して生きるということ」の「自国に誇りを感じない日本人」の項で次のように述べている。

中公新書ラクレの『日本人の価値観・世界ランキング』という本に、こんな調査結果が載っています。

自分の国に誇りを感じるかどうか、というアンケートを取ると、誇りを感じる人の割合が日本は圧倒的に低い。調査した世界七十四カ国中、日本は七十一番目です。トップはエジプトで九八％と、ほぼ全員。二番目がフィリピンで、これも九〇数％。アメリカもかなり上位で、九〇％程度。カナダやオーストラリアも同じような数字です。

ヨーロッパ諸国はだいたい八〇%台。中国も八〇%ぐらい、韓国も同じぐらいです。これに対して日本は約五〇%と、断トツで低い。

これもよく知られている調査ですが、戦争が起きたら参加するかというアンケートでは、日本は五十九カ国中、圧倒的に最下位です。

トップはトルコで、九五%。中国も九〇%と、高いです。韓国は七五%、アメリカは六四%。アメリカの数字は以前の調査と比べて下がっています。

二番目に低い国はスペインですが、それでも四〇%ぐらいあります。日本の一五%というのはずば抜けて低い数字です。

これは少し前の調査なので、今では多少は変わってきているかもしれませんが、日本人の自国に対する意識が、世界標準からすると、たいへん低いのは事実です。

私自身について考えてみても、愛国心という言葉は、正直あまり好きではありません。

氏の「正直あまり好きではありません」と言うのは、氏も「愛国心」があまりよく「わからない」からだと思う。氏が同著でしきりに愛国心について語るのは、その現れだと思う。そして氏には『日本の愛国心』という著作がある。

ところで両氏の挙げているこれらの数字は、あくまで意識調査であり、その調査対象を問題としていないことである。つまり私が対象というのは、イスラム圏では基本的に女性は戦争に参加しない。またそうであれば、公的発言権を持たない。従って彼女らは調査対象に入っていない可能性が高い。

それにこれらはあくまで意識調査だ、ということである。それはたとえば韓国である。彼らは自らを「誇りある民族だ」と自称している。事実、私はサッカー・日韓共同ワールド・カップでそう叫んでいた若者を、テレビ画像で見た。しかし彼らはいざ戦争になると、常に「逃げてきた」という歴史的古層を持っている。

この（歴史的）古層については、最終章「ニヒリズム（虚無）と無」で説明するが、ここでは取り敢えず、集団的無意識としての過去の記憶（国民性、民族性等）としておく。

なお、それを既述の佐伯氏の著作「第四章　漂流する日本的価値」の「『清き明き心』という宗教観」の項の冒頭部分に搦《から》め要約して説明すると次のようになる。

戦後六十数年、日本人は西洋から植えつけられたものをいったんすべて疑い、日本の長い歴史の中で積み重ねられた（これが私の言う歴史的古層にほぼ当たる）日本精神、考え方・感じ方、そして美意識といったものが、日本人の歴史的古層に蓄積され、それがやがて日本型、集団的、組織的労働ではうまくいかないことになった。かと言ってアメリカ型の個人主義的な能力主義もどうも落ちつかない。その理由は、日本人の歴史的古層に蓄積された無意識の記憶が、意識上に昇り、それが日本人の考え方・感じ方、そして美意識を形作っているからである。

歴史的古層をニヒリズムと無との概念を交えずに述べると、ざっとこんなことになる。

話を戻す。

さらに中国において、彼ら人民が中国という国家意識を持っているかどうかは、賄賂政治が横行していること一つを取っても疑問である。しかも彼らの近現代史において、文化大革命、法輪功に対する弾圧、天安門事件等を考えたとき、彼らの持っている愛国心とは、単なる歴史的古層にある王朝意識としての愛朝心ではないか、と思うのである。なぜなら中国四〇〇〇年の歴史というが、そこには国家としてのなんの正統性もなく、元《げん》、清《しん》のような異民族によって成った王朝もある。それはかつて孫文が中国人を評して「砂の民」と嘆かせたことからも窺える。

それに戦争に対する意識として、現に戦争をしているアメリカと、そうでない中国において、後者のそれの方が高いというのは、あくまで意識の問題だ、ということを示している。

さらにギルバート氏の「日本人は国のために戦いたくないのか」に対する日本人の解答が「わからない」というのが、世界でいちばん多いのは、GHQによる洗脳の影響もあるにしても、それは日本人の思考法（歴史的古層）の特殊性にあると思われる。そしてこれはあくまで私の推測であるが、ギルバート氏が問題としているのは、この「わからない」部分ではないか、と思うのである。

さらに佐伯氏が「愛国心という言葉は、正直あまり好きではありません」という思考法を西洋人は基本的にしない、ということである。彼らは白か黒か（イエスかノーか）の世界なのである。それはヘンリー・S・ストークス著『英国人記者だからわかった日本が世界から尊敬されている本当の理由』で「『灰色の決着』を重んじる日本人」の項で「日本人は、黒か白かの決着がつくまで戦うことを避け、『灰色の決着』でことを丸く収める傾向が強い」と指摘していることである。それは過去、ヨーロッパ人が宗教戦争をしたのに対し、日本では神仏習合で事が収まってしまったことからも明らかだろう。これは東西の歴史的古層の違いから生じたものである。

西洋人の思考法

西洋人の思考法がどのようなものであるかを明らかにするため、ざっと日本人のそれについて述べておく。

まず日本が、アンケートに示されている他の国々と違っているのは、大陸との間に適度の距離を持った島国であり、また地形的に森林に覆われた、山々から成る四季に恵まれた、比較的気候温暖な土地だ、ということである。これは日本を「木の文明」とすると同時に、稲作文化を生み出すことになった。そしてそれによって自然の恵みを神々とする八百万《やおよろず》の神《かみ》の国とした。以上が簡単な日本の外観である。

それに対し古代ヨーロッパ（地中海世界を含む）は「石の文明」であった。その理由は、それまで森林の文明であったものが、紀元前一二〇〇年頃にギリシャ、シリア、トルコ周辺に乾燥化による気候変動が起こることで、自然が失われ、砂漠化が起こることによって、もはや自然は神々とは成り得ず、神は自然をそのように変えた天にあるとする一神教（ここではキリスト教）が生まれたことである。

それにもともと古代ヨーロッパが戦争（侵略）社会だったことである。むろん初めからそうであったわけではなく、気候変動によって、それまであった森林の歴史が失われてしまったことで、同時にそれまであった歴史も失われてしまったのである。

もともとサルから進化したヒトは、元来「考える」ことができない。なぜならヒトはサルの本能から受け継いだ四つの本能的価値である、食餌本能、生殖本能、闘争本能、群れ本能のそれぞれの価値を生きている。そうであれば、ヒトは闘争本能的価値は持ってはいても、同時にそこに群れ本能的価値という「私たち」があるから、「私たち」では「考える」ことはできない。しかし闘争本能的価値に基づく争いがある以上、戦争に勝つためにはどうしても、「私は考える」ことの必要性が生まれてくる。そしてそれに係わってくるのがキリスト教である。

古代ローマ帝国において、当初キリスト教徒は迫害され、多くの者が殉教していった。それはキリスト教の根本思想が、イエスが磔刑死の後、復活し、天国へ昇天していったという教えに基づく、永遠の命を保証してくれる宗教だったことである。

それを見たローマ帝国の執政者たちは、軍隊を強くするためには、死をも恐れぬ宗教を戦士たちに持たせることは国益に適うと考え、キリスト教を国教化するに至った。

その意味することは、ヒトは自分の死を真正面から見ることができぬ、つまりヒトは自分の死を知っていながら、いざそれを正面から見据えるとなると「不安」に駆られる存在だ、ということである。すなわちローマ帝国は戦争社会であり、さらにその後のヨーロッパ、と言うより全人類においても、ヒトは死の不安から目を逸らすことができなかった、ということである。

ちなみに後に述べるが、戦後の日本人がやたらと日本国憲法にしがみつき、なにかと言うと「平和」をいうのは、平安朝期に伝わってきた浄土教における「念仏」さえ唱えていれば、武士のように戦うこともなく、西方極楽浄土が叶うという歴史的古層を持っているが故に、死を真正面から見ずに、平和という念仏によって死から目を逸らすことになったからである。当然、そこから愛国心など生まれようがない。

なぜ死が不安なのかと言えば、ヒトは無意識にも「価値の拡大」（得《とく》）の世界を生きる存在と成ったから、命を失うことは損《そん》なのである。と同時に、ヒトは闘争本能的価値を生きる――得をするために戦争（侵略）をする（後に述べるが日本人は例外）――が故に、ヨーロッパのように戦争多発化社会においては、それに勝つため（得するため）には、「私は考える」能力が必要になってくる。そこでヨーロッパ人は無自覚にも、ヒトが本来、古層（歴史的が外れたもの）に持っている群れ本能的価値を破壊し、それに代わってキリスト教という疑似群れ宗教集団価値による自己偽善の思想（次章で述べるが、自己を自らの価値の拡大（得する）のために、自己自身を騙すという思考法）を思い付かせることになった（愛国心を善とするのもその一つである）。

ここにキリスト教は隣人愛を表看板にしながら、その裏において戦争（侵略）宗教化を加速させることになった。そしてそれと共にそこに、古代ギリシャ哲学の持つ理性的、数学的思考が流入することによって、神に保証された彼らの「私は考える」は、無意識にも自らを自然をも破壊してよい（砂漠化思想に基づくが故に）神のごとき存在だと見なし、傲慢にも本来、神の下にあるべき「私」を、「私は考える、故に私はある」（デカルト）として、事実上、神なしでよいことにしてしまった。この事実上とは、神なくしてはヨーロッパ人の「私」は成り立たなかったから、それが神の死に至ることはなかったが、神は敢えていえば、利用価値にまで引き下げられてしまったのである。それに対して猛烈なデカルト批判をしたのがパスカルである。そうであれば、もともと自然に価値を置いていないキリスト教は、ギリシャ哲学（特に数学）の力を借りて、自然を延長する物質とし、そこに手を突っ込んでいったのが、後のガリレオ、ニュートン等である。

そのことは、もともと動物（サル）は、生き残るために本能的に他の動物を殺し食っていたのが、進化による言語化によってヒトになると、ヨーロッパ人はその本能を価値の拡大（得する思想）に置き換え、自然を数値という言語から成る価値で計り拡大しうるものに変えていったのが、自然科学である。そこからヒトにとって価値の拡大となる富《とみ》（得になるモノ）を得ようとしたのが産業革命であり、さらにそれは資本主義へと発展し、その富を増やそうとして侵略していったのが植民地主義等である。

この本質にあるのは、ヨーロッパ人が労働を神の罰として嫌ったことと無関係ではない。本来、労働とはかつての日本人（農民）のように自然と一体となって、「私たち」「村」人（群れ集団）が協力して収穫物（富）を取り入れるのを目指すものであった。彼らがその労苦を厭わぬのは、たとえて言えば、スポーツ選手が勝利を目指して苦労をするのと同じようなものである。しかも当時の日本農民は、働く以上のこれと言った楽しみもなかったから、彼らは働くことを苦としない歴史的古層を、国民性として蓄積することになった。しかしヨーロッパ社会は、群れ本能的価値を失っているから、たとえキリスト教という疑似群れ宗教集団価値を持とうとも、働くのはあくまで孤独な「私」の嫌な労働である。つまり日本人は、だらだらと長時間労働をしても苦を感じないが故に、それが後の年功序列、終身雇用の労働価値観を生み出したのに対し、ヨーロッパ人は嫌な労働を一刻も早く終えたいから、個人の能力を重んずるに至ったのである。そしてこうした労働を厭うという価値観と、歴史的古層に「私」の思想を持つ彼らに、資本主義、植民地主義、奴隷制等を生み出させることになったのである。なぜならそれらは労働からの解放に繋がったから。そうであればこそ、彼らは嫌な労働を一年の内、十一カ月もするが故に一カ月のバカンスを必要とするのである（この辺りのことは、拙著『ニーチェから見た資本主義論』を参照）。

ヨーロッパ思想の本質にあるのは、キリスト教思想と共に、ギリシャ哲学の理性的、数学的思考に支えられた戦争（侵略）思想としての、「私は考える」であり、それによって戦争に勝って「私は（より得《とく》するに）ある」のである（そうした思想は、島国日本では成り立たなかった。なぜなら島国では他国を侵略できなかったから）。そしてそうした思考法が、ヨーロッパに理性の哲学（「私は考える」）、および意識（「私はある」＝存在）の思想を生み出させることになった。そのことは彼ら戦争社会の人々にとって、「私」の得《とく》のために「在《あ》る」ことが最大の問題であり、そのために理性的に「私は考える」のである。そしてその「私」が資本主義の富に支えられて、絶対主義を倒し、国民国家に基づく民衆を主権者とする民主制の方向に走ることになったのである。従ってそこから生まれた民主国家の本質にある平等思想は、権利としてのそれと同時に、義務としてのそれでもあることになる。

つまり西洋は戦争社会であるから、民主国家として生き残るためには、強くならねばならなかったから、徴兵の義務が課されることになったのである。そこに民主国家における国民は、国を守るための愛国心として戦う義務が生じることになったのである。

ところが彼らが誤解しているのは、民主国家における権利の平等とは、富の平等ではないことである。つまり権利の平等とは、スタート・ラインの平等を保証しているだけであって、速く走る者はそれによって富を得、さらにその富によって一層速く走ることによって富を得る競争社会だ、ということである。従って民主国家が富の格差を生み出すのは、半ばその政治思想の負っている宿命なのである。そして言うまでもないが、共産主義（社会主義）が、より最悪なのは、その権利の平等さえ保証されていないことである。

西洋人はそうした政治思想を持つことによって、それに自信を持ち、非西洋諸国を見下《みくだ》す傲慢さに至ると同時に、非西洋諸国は「考える」能力を持たぬが故に劣等感を抱くことになった。そしてそれが為に、植民地主義、奴隷貿易等を批判する論理的根拠を持たなかった。戦後の日本人などはその典型である。

ところでヨーロッパ人は、まったく些細なことを原因に、第一次世界大戦という予想もしなかった大惨事を引き起こすことによって、彼らの間にキリスト教等、近代ヨーロッパの価値観に対する疑念が生じはじめた。そこににわかに、それまで無名だったニーチェの、キリスト教を否定し「ヨーロッパのニヒリズム」を唱える思想が、一躍、脚光を浴びることになった。が、彼らには彼の根本にある「力への意志」に基づく、ニヒリズムの意味が分からなかった。そして第一次世界大戦の戦後処理の失敗から、ワイマール共和国が、ナチスという言わば「ならず者」集団に乗っ取られることによって、第二次世界大戦を引き起こすことになった。

そも彼らにニーチェの思想が分かっていないのは、単に第一次世界大戦の戦後処理の失敗だけが、ナチスを台頭させたわけではないことである。それはむしろ彼らの持つ理性の哲学、意識の思想そのものに問題があることなのだが、そも彼らは自らの哲学・思想を単眼でしか見ることができなかったから、自らのそれらを外から眺めることができなかった。つまりニーチェのニヒリズム（虚無）とは、言わば複眼的視点からヨーロッパ文明を批判したのだが、それを理解する頭を彼らは持たなかった。

それを先走って（最終章で言うことを）言っておけば、ニーチェのニヒリズムとは、フロイトの言うところの無意識の視点にまで、自らの価値を落とし、――フロイトにはそれができなかったのだが――そこから「肉体」の持つ「生＝虚無」を通して世界を複眼的に見たものだ、ということである。そしてニヒリズムというものが、俗に言われる「神秘体験」（神とは関係ない）という「進化の逆行」によって起こるものであり、それがある意味、禅の「無」に近いものだ、ということをここで述べておく。

そうであれば第一次・第二次世界大戦に本土が巻き込まれることなく、単に参戦しただけのアメリカにおいては、なおさらニーチェという存在は意味を持たなかった。

それをヨーロッパで起こった惨事を、アメリカにたとえて言うならば、第一次世界大戦によって焼土と化したアメリカに、ナチスのようなもの、たとえばＫ・Ｋ・Ｋ（クー・クラックス・クラン）のような非カトリック系人種差別を持った白人至上主義者が、権力を握ったようなものである。が、アメリカではそのようなことが起こらなかったから、ヨーロッパとアメリカとでは、キリスト教、民主主義に対する温度差が生じることになった。

そしてさらに言えば、歴史、伝統、文化を持たぬアメリカ人は、それらを持つヨーロッパ人の歴史的古層の意味を悟るに至らず、ただ単に古いヨーロッパとしか見ることができなかった。

いずれにせよ、西洋は戦争社会であるから、愛国心を持って戦わねば国が亡びるばかりでなく、我が身・家族が亡びるから、それは好き嫌いの問題ではなく、国民の生命の問題なのである。

第二章　自己偽善という思想（からくり）

ところで日本人の思考法（歴史的古層）を語る前に、自己偽善という思想（からくり）について述べておく方が適当と思われるので、ここに挿入しておく。
それはキリスト教（特に宗教において強い）に限らず、ヒトはすべてにおいて自己偽善を生きねばならぬ宿命にある。
たとえばアナトール・フランスは次のように言う。

人は自分で神を作り出し、それに隷属する。

誰も神を認知し、その存在を証明した者はいない。にも拘らず神は存在する。なぜなら神は心の問題であり、心に存在するものを理論上、説明することはできない（いずれ徐々に私の論述から分かってくるだろうが）。なぜなら、神は心の中に住む虚構（嘘）の存在だからである。

では、なぜ神という虚構（嘘）の存在がヒトの心に住み得るのか。それはヒトの主体が言語（価値）より成る虚構（嘘）だからである。それをニーチェは「主体は虚構である」と言った。つまり世界そのものが、言語という価値から成る虚構（嘘＝からくり）の上に成り立っているから、神という虚構が存在し得るのである。しかし意識の思想を生きる西洋人は（ニーチェを除けば）、ヒトの存在が虚構という嘘＝からくりであることが見抜けなかった（これはニヒリズムの問題と関係してくる）。

ではヒトはなぜ、神という虚構の存在を作り出したのか、と言うより作り出さざるを得なかったのか？

生命はサルの状態にあるまでは、言語（価値）より成る意識を持たなかった。しかし進化によって世界を言語（価値）化したヒトは、同時に意識を持つことによって、意識のもつ価値の拡大（得をする）の性質である戦争（侵奪）等に走ることになった。そのことは同時に、その被害者にとっては、マイナスの価値を負わされることになる。つまり戦争等による惨劇は、人類が負わされた宿命であって、そこから逃れることはできない。そうであれば、言語（価値）から成る虚構（嘘）の世界を生きるヒトは、想像力という価値の拡大による虚構（嘘）によって、神という超越的価値の拡大である虚構（嘘）の存在を作り出し、それに隷属することによって、生の惨劇のもたらす苦（特に死）から目を逸らすというメカニズムを作り出したのである。つまりヒトは、意識を持つことで得てしまった快苦の内の死への不安――戦争、飢餓、疫病等のマイナスの価値――を神という超越的価値（神的超越性）を生み出すことで癒したのである。それはあたかも、自分のはるか上位に神という存在が実在するかのような嘘を自ら作り出し、それによって自らを騙すという自己偽善によるものであって、それをフランスの言い方に倣えば、想像力によって神を作り出し、自らがその下に隷属するからくり人形になることによって、不安から逃れるということである。

それがキリスト教であれば、天に在《おわ》す神を信じる（信仰する）ことによって、自己の虚構から成る心の苦を、天国という虚構（嘘の）世界に転移することによって、現実の苦を忘れる（癒す）のである。つまりその意味するところは、自らが作りだした神という虚構（嘘）に、自らがからくられている、ということである。そしてそのことは、キリスト教徒は真に天国という虚構（『聖書』）を信じているのであり、その信仰がなければ成り立たぬ世界である。

ただしヨーロッパは戦争社会であり、そこから生まれた個（「私」）の思想によって、後に生み出された資本主義により、そこに半ば必然的に起こった二つの世界大戦によって、キリスト教への疑念が生まれながらも、彼らの思考法「私は考える」は、神の裏付けによって成り立っているものだから、信仰を捨てることはできない。事実、その信仰を捨てた――キリスト教のからくりを見破ってしまった――ニーチェは発狂するに至った。

こうした、心という虚構（嘘）によるからくりのメカニズムを、私は自己偽善と呼ぶのである。

それはたとえば、美についても言える。実は、美などというものは存在しないのだが、ヒトは存在すると信じている。

たとえばゴッホの絵は、生前、二束三文のゴミ同然だった。ところが、死後、誰かが価値があると言い出し、人々もそれを信じ、現代ではそれに何億という値が付くことになった。

そのことはゴッホの絵自体に美があるわけではなく、ヒトの心の中に虚構（嘘）としての美の価値があり、それが変動した（それは経済における変動相場制と同じである）というに過ぎない。それは現代でも、イスラム教圏に持っていけば、ゴミ同然であることを考えれば分かることである。

これは日本における神的虚構の価値＝神的超越性の世界である八百万神《やおよろずのかみ》も、仏教の諸仏への信仰も、自己偽善によって成り立っていたのが、近代（特に戦後）になり西洋文明（資本主義）が流入することにより、神仏のもたらす恵み（価値）より、資本主義による富（得《とく》）の方がより大きくなったから、日本人はそれまでの自己偽善による価値観を解き、無宗教者になったのである。

そうなったのは、日本人（農工商）が武士（西洋人の「私」にやや似た価値観を持つ者）の歴史的古層を生きて来なかったからである。それはたとえば、武士にとって天皇が神となった明治において、天皇の死に乃木希典が殉死したのに対し、日本人の多くが、たとえば志賀直哉に代表されるように、彼の行為を「馬鹿な奴だ」と評したことからも明らかだろう。

それは戦後においても、武士・三島由紀夫が「などてすめろぎ（天皇）は人間《ひと》となりたまいし」と憤ったことを、大衆は理解しなかった。

ところで、武士の「私」と西洋人（市民）の「私」とは、本質的にかなり違っている。それは前者が「無」の土壌を生きていたのに対し、後者が「有」（意識）のそれを生きていたことにある。後者の意識の世界から、――たとえフロイトの無意識の視点をもってしても――この自己偽善というからくりは、ニーチェを除けばまったく見抜けなかったが、武士の無はニヒリズム（虚無）に近い視点を持っていたが故に、このからくりを論理的に説くことはなかったにせよ、ある程度、直観はできた（後述する『葉隠』）。

次章においては、そうした日本人の歴史的古層をできるだけ論理的に説いてみたい。

第三章　日本通史としての（歴史的）古層

日本人と古事記《ふることぶみ》

ヨーロッパ人の歴史的古層（思考法）は、日本人のそれよりも分かりやすい。それは古代より戦争（侵略）社会であり、古代ギリシャに哲学という理性的（民主主義もその一つ）、数学的思考が生まれ、その後そこに戦争（死）に強いキリスト教が生まれることで、それらが合一され「私は考える、故に私はある」という理性の哲学、および意識（有る）の思想が生まれることになった。さらにその思想は、自然を破壊することによって、産業革命を生み出すと共に、資本主義、植民地主義等へと発展して行った。そしてその富によって個人の権利意識が高まり、それによって民主国家を生み出すという、一本の筋の通った通史としての歴史的古層（歴史観）を持つに至った。

それに対して、日本人はそんな歴史的古層を持っていないから、民主主義など分かるはずもない。

それは明治期、日本に滞在したベルツによる『ベルツの日記』に記された文章の中で、彼が教養ある日本人に対して、わたしが日本の歴史について質問したとき、きっぱりと「われわれには歴史はありません、われわれの歴史は今からやっと始まるのです」と断言しました。

との答が返ってきたことに、少なからず驚きを覚えたことにも、東西の思考（歴史的古層）の違いが見られる。そしてその事実は、はからずも大東亜戦争の敗戦によって、日本人がそれ以前の歴史をほぼ完全に否定することによって、証明されることになった。

そのことは、日本人にはあたかも歴史観（歴史的古層）がないかのようであり、その原因は、日本が戦争社会ではなかったから、武士以外は「考える」能力が発達しなかったことにある。つまり日本人（農工商）には、「考える」ということがどういうことか分からなかったのである。別言すれば、日本人は「マネする」ことを「考える」ことだ、と思っているのである。そのことは後にも述べるが、取り敢えず言っておけば、日本が島国であり、他国と戦争（侵略）することもほぼなく、従って大陸から伝わってくる優れた文明・文化をマネし、それを日本の風土に合わせて洗練、深化させるだけでよかったから、自らが「考える」という能力をまったく発達させず、あたかも「マネする」ことを「考える」

ことだと勘違いし、今日まで来てしまったのである。

そこで日本人の歴史的古層（思考法）を、古代から現代に至るまでに通底するものを探り出そうというのが、本章の意図である。

すでに述べたように、日本は地政学的にガラパゴス的島国であり、四季に恵まれた気候温暖な、森と山々とからなる土地であった。その地政学的、気候風土的条件は、日本人をして天照大神（日の神）を主神とし、後に日本人の美の対象となる月読の神（月の神）はほとんど顧みられなかった。

私が日本人に考える能力がないと思うのは、そういうことが何か変だと思わぬことである。と同時に、戦後日本の知識人のほとんどが、古事記を読んでいないことである。そのことは、日本人には自己の「私」を作り出すアイデンティティー（自己の存在証明）がない、ということであり、その事実は、日本人に「考える」能力のないことの証と言ってもいい。

それは聖書を読んだことのない西洋人が想像できぬことを、考えれば分かることである。それはギルバート氏、ストークス氏が、古事記を読んだのは、氏らが日本を理解しようとすれば自然そうなる、ということである。それが日本人には分からない。

古代日本人は佐伯氏の著作が指摘しているように、神道という「清く明き心」（清明心）を持った民であった。この「清く」とは『古事記』における伊耶那岐命《いざなぎのみこと》が、その配偶女神・伊耶那美命《いざなみのみこと》の死を追って黄泉国《よもつくに》（黄泉《よみ》）へ行き、その配偶女神の醜い姿に「黄泉《よも》つひら坂」を「石《いわ》」をもって塞ぎ、「あは（私は）、いなしこめしこめき（いやな見るも醜い）穢《きたな》き国に到りてありけり、かれ（だから）、あは御身《みみ》の禊《みそき》せむ」（『新潮日本古典集成』、以下同じ）と宣《の》り、禊するところに日本人の清潔感覚（清明心）の源がある。

この伊耶那岐命が天照大神の父神であり、皇室の祖神と仰がれ伊勢神宮に祀られることになった。従って伊耶那岐命が禊を行ったのは、伊勢神宮内を流れる五十鈴川であった、と考えられる。一度でも伊勢神宮の森の荘厳さと、五十鈴川の清冷な流れとに目を染めた者であれば、伊耶那岐命がその清流で身を清めたと信じられるだろう。

また「明《あ》き」は「明かし」（『全訳古語辞典』）の「②偽りがない。私心がない。心が清い」に由来すると思われる。

この神道の清明心が、皇室および日本民族にどう係わっているかについて、古事記を通して見てみる。

ギルバート氏は同著「第4章『天皇陛下のおことば』はありがたい」の「ヨーロッパの

王族貴族と天皇はまったく違う」の項で次のように記している。

第一六代天皇である仁徳天皇の「民のかまど」という話を聞いたことがあります。

これは『古事記』の「下《しも》つ巻《まき》」の次のような記述である。

ここに、天皇、高き山に登りて、四方《よも》の国を見て詔《の》らししく、「国中《くぬち》に烟発《けぶりた》たず、国みな貧窮《まづ》し、かれ、今より三年に至るまでに、ことごと人民《おほみたから》の課役《えきつ》を除《ゆる》せ」

この箇所を以下、ギルバート氏の著書から引用する。

ある日、仁徳天皇が高いところから遠くを望むと、炊事《すいじ》の煙が立っていないことに気づきました。そこで仁徳天皇は「以後三年、税金や課役をやめて、民の苦しみを軽減するように」と命じます。宮殿は垣根も屋根も崩れて雨漏《あまも》りがする始末でしたが、それでも税を取ることはありませんでした。そして三年後、また遠くまで見渡してみると、今度は、かまどの煙がたくさん上がっています。

そこで仁徳天皇は皇后に「私は富んだ。もう憂《うれ》いはない」とおっしゃいました。皇后が、「どうして宮殿の垣根も屋根も壊れているのに、富んだとおっしゃるのですか」と聞くと、仁徳天皇はこう答えたそうです。

「国とは民をもって本《もと》とするのだ。民が貧しいのは私が貧しいことであり、民が富んでいるのは私が富んでいるのだ」

とても素晴らしい話です。仁徳天皇は大昔の天皇ですが、これは現代の民主主義社会でも、政治家や経営者などの権力者が見習うべき考え方です。

私はこれまで、ニヒリズムと無とについては、最終章まで触れずにおこうと思っていた。だが、ギルバート氏の「とても素晴らしい話です。仁徳天皇は大昔の天皇ですが、これは現代の民主主義社会でも、政治家や経営者などの権力者が見習うべき考え方です」のような文章に触れると、やはり歴史的古層を理解してもらうことは、そう簡単なことではなさそうだ、と考えここに一文を挿入する。

私はニヒリズム（虚無）と無とをフロイトの無意識の視点にまで、自らの価値を落とし（身心を脱落し）、そこから「肉体」の持つ「生＝虚無（無）」を通して、世界を複眼的に見ることだ、と説明した。これは後に述べるが、ニーチェの「肉体の思想＝虚無」と同様に、『葉隠』の武士道の「肉体のもつ無の思想」も、同じ視点を持つということである。そのことを肝に銘じて『ツァラトゥストラ』の次の文章を読んでいただきたい。

こうして、この「本来のおのれ」は常に聞き、かつ、たずねている。それは比較し、制圧し、占領し、破壊する。それは支配する、そして「我」の支配者でもある。
わたしの兄弟よ、君の思想と感受の背後に、一個の強力な支配者、知られない賢者がいるのだ、――その名が「本来のおのれ」である。君の肉体のなかに、かれが住んでいる。君の肉体がかれである。

この「我」（意識）の支配者である「肉体のなかに住む『本来のおのれ』」が、これまで述べてきた「古層」（ニヒリズム・無）であり、それが歴史化したものが「歴史的古層」である。それは西洋人の「我」（意識）も、歴史的古層に「からくられている」（支配されている）、ということである。そして武士道も、この「肉体なかに住む『無』」に「からくられた」思想だ、ということである。

それは西洋に起こった民主主義とは、その歴史的古層に戦争思想を持つが故に、それは半ば愛国心とセットになっている、ということである。そしてそうした歴史的古層を持つ彼らは、理性の哲学（「私は考える」）、および意識の思想（「私はある」）を生きており、さらにそれらを支えているのが、キリスト教という自己偽善の思想である。その意味では、フロイトの無意識も所詮、「からくられた」思想であるに過ぎない。

そのことは、すでに述べた『古事記』のような歴史的古層を持つ日本人に、民主主義など理解できるわけもなく、それは当然、愛国心など分かるわけもない。もしそれらを理解できる者がいたとしたら、それは戦争をしたかっての武士だけである。それ以外の「村」人は、歴史的古層において勤勉な労働と、高い技術力とを持って、半ば身分的な年功序列・終身雇用労働をしてきたから、江戸時代や戦後日本のある時期までは、それで成功したのであるが、それがある時期を過ぎると、佐伯氏の「『清き明き心』という宗教観」で言う、次のようなことになるのである。

この章の初めに、グローバル金融市場の暴走というような話をしました。構造改革の中で、日本型経営を支えてきた組織のあり方が否定されてしまったと述べました。それにより、われわれは、日本人にとっての労働の意味そのものを見失いつつあります。これまでのような、集団的で、組織的な日本型労働ではもはやうまくいかない。かと言って、アメリカ型の個人主義的な能力主義もどうも落ち着きません。

いったい日本人の労働観の根本にあるものは何だったのでしょうか。

その答えは、日本が島国であり、決して豊かとは言えぬながらも、歴史的にほぼ自給自足で生きて来たことにある。つまり武士を除けば「私たち」「村」人は、仲間と協力し、勤勉に働き、自給率を上げるために知恵を絞り、――それは技術力を高めるといってもよく――そうした価値観（言語）が歴史的古層に蓄積されているから、そこからしか思考できぬことになる。すなわちいかなる国民も、自らの歴史的古層に支配されている（からくられている）ということである。そのことは、いくらアメリカ（民主主義等）をマネしても無駄だということである。

話を戻す。

それは「因幡の素兎《しろうさぎ》」の話に係わってくる。『広辞苑』は次のように記す。

出雲神話の一つ。古事記に見える。淤岐島（おきのしま）から因幡国に渡るため、兎が海の上に並んだ鰐鮫（わに）の背を欺き渡るが、最後に鰐鮫に皮を剥ぎとられる。苦しんでいるところを、大国主神に救われる。

それを『古事記』では次のように記す。

　菟（が）「海のわにを欺きて言いつらく、『あとなと（私とお前と）競《きほ》ひて、族《うがら》の多き少なきを計《かぞ》へむ。かれ（それで）、なはその族のありのままに（お前は自分の同族のありったけを）、ことごと率来《ゐき》て、この嶋より多気の前（岬）まで、みな列《な》み伏し度れ。しかして、あれ（私が）その上を踏み、走りつつ読み度らむ。ここに、わが族と、いづれか多くを知らむ』と、かく言ひしかば、（鮫が）欺かえて列み伏せりし時に、あれその上を踏み、読み度り来、今地に下りむとせし時に、あが云ひつらく、

『あはあに欺かえぬ』と言い竟《を》ふるすなわち（いなや）、いや（一番）端《はし》に伏せるわに、あを捕らへ、ことごとあが衣服《きもの》を剝ぎき。……」

以下はすでに記した通りである。

そしてその後の大国主神は、出雲への高天《たかま》の原から葦原の中つ国への平定の三度の使者によって、国土を天照大神に奉献することになる。それが今日の出雲大社の由来である。

さらに出雲大社には、神在月《かみありづき》（神無月《かみなづき》）という八百万神が、この月（陰暦十月）に集まるという言い伝えがある。むろん農耕民に係わる清明心による談合の集いである。

ここから見えてくることは、日本農民（「村」人）には古来、談合の習いがあったことである。そのことは後にも述べるが、ここでは兎はその掟を破ったが故に「村」八分にされた、ということである。

このことは、日本人は今もその神話の歴史的古層を生きている、ということである。

これはすでに挙げたストークス氏の著作の第一章「世界を感動させる『万世一系』の国」の「『灰色の決着』を重んじる日本人」の項の次の記述を読んでいただきたい。

……「日本は和の国」である。日本人は、黒か白かの決着がつくまで戦うことを避け、「灰色の決着」でことを丸く収める傾向が強い。

一方、西欧社会では、この「灰色の決着」がなかなかできず、何ともいえない心地の悪さを感じてしまう。是か非か、善か悪かをはっきりさせる文化的背景が、歴史的に形成されてきたからである。……

氏のこの発言には、長短いずれもがある。
ヨーロッパは古代より戦争（侵略）社会であり、そこから生まれたのが民主主義であるから、どうしても決着は白か黒かである。それは短所としても、それをして彼らを「個の思考」に導き、自らの白、黒を論理的に説明できる（「考える」）能力を発達させることになった。さらにヒトが「考える」のは価値の拡大（得《とく》するため）であるから、そうした思考法は、神も自然も否定し、資本主義という得する経済思想を生み出すに至るのである。
それに対して、日本が「和の国」というのは古代より戦争が少なく、また争うこともなく談合で決着しようとするのは、それぞれ互いに損をしてでも争うよりは増しだ、ということである。しかしそれは、互いに得する気持ちを捨て、損することだから話はそう簡単に纏まらない。つまりストークス氏が「灰色の決着」というのは、全会一致社会だということである。だから古代の神々は、それに一カ月も要したのであり――その歴史的古層は、今日の日本人の会議好きに繋がっており――それによって、「和」という利益を得たのである。

その和の精神は、自然と一体化して生きてきた日本人にとって、労働を苦痛と感じさせぬ、それにある種の喜びのようなものさえ感じさせるに至ったのである。

しかしそのことは、「村」の掟である「私たち」という灰色の「空気」の、つまり「私」の意見を持たぬ社会を生きることになったから、「考える」能力はまったく発達しなかった。むろんそれで終わればハッピー・エンドだが、それは西洋からやって来た黒船によって終わることになった。それは資本主義という、自然を破壊し、労働を嫌い、得をする、つまり侵略という名の経済思想である。

資本主義は、数学力、技術力、マネ能力、勤勉に働く能力さえあれば誰でもマネできる。しかも和の（協力する）精神を持っていた日本人は、戦後、目覚ましい経済成長を見せた。しかし悪いことに日本人には、自分たちが清明心に基づく、損をすることによって成り立っている民族だ、という自覚がなかった。だから無自覚にも、経済成長によって「得」することの味を覚えてしまった日本人は、清明心に基づく談合を、得するための悪い談合に変えてしまった。

しかも、その戦後日本の和の精神によって成り立っている社会は、個の視点を持つアメリカから見れば、社会主義のように見えてもおかしくない。そこで彼らは「民営化しろ」「構造改革しろ」と言い出すことになった。むろんそうさせることによって、そこから彼らが利益を得ようとしたのは当然だが。

と同時に、すでに日本経済はそれ以上の成長は望めなかったから、その外圧はある意味、渡りに船という面もあった（この外圧という言葉は後に述べるが、日本人は歴史的にも常に外圧によって動かされてきた、つまり日本人は内圧という「私は考える」能力を持たぬ結果として、そうなったのである）。いずれにせよ、民営化すれば経済効率がよくなるのは確かである。

それに対して、構造改革というのはよく分からぬが、それを私なりの視点で見れば、要はリストラ、働き方改革を行って経済の効率化を図れ、ということのように思える。

しかしこの和の国においては、歴史的古層において今日でも、リストラをする経営者は悪である。それはリストラもせず会社を建て直した経営者・従業員の話は、いまだこの国において美談であるのは、映画、テレビ・ドラマ等からも痛感される。

これは余談になるかもしれぬが、戦国武将である織田信長と武田信玄との比較である。これは前もって言っておかなければならぬが、武田家のあった甲斐は海もない片田舎であり、しかもそこで一大領国を築いたが故に、日本人に人気のあることである。言うまでもないが、信長は能力のない者はリストラし、その最期は暗殺に終わった。

他方、信玄は下臣の一人に武士として使い者にならぬ人物がいたのを、その者をリストラもせず、彼に日頃、下臣団がなにを考えているかを探らせる役目に就《つ》かせたと言う。そこに武田節の「人は石垣、人は城」の謂れがある。

話を戻せば、日本は西洋と違ってリストラ社会ではないから、再雇用のシステムが整っておらず、従ってリストラされた人間は、あたかも欠陥品であるかのような目で見られる傾向があるかに思える。

そこで日本人が考え出したのが、西洋人の経営者をトップに据え、構造改革の名の下にリストラ、働き方改革等を行うことである。西洋人が上司になると、日本人は内心仲間じゃないから、シカタガナイと考えるのである。これと同断なのが、女性が社会進出できぬ理由である。むろん女性の方にも、その歴史的古層において原因はあるが、女性が上司になることを男性は、その歴史的古層において無意識にも抵抗を覚えるのである。

また、構造改革に名を借りた正社員、非正規社員の弁別である。同じ仕事をして賃金が異なるのは変だとは思いつつ、日本人の思考には個の思想がないから、それ以上のことを論理的に構築できない。

ところでギルバート氏は「民のかまど」を誤解している。古事記に記された天皇の話は美談ではなく、今日でも貧しい未開部族の族長は、貧しい生活をしている事実が、日本古代にもあったということである（その歴史的古層は、ある程度今日にまで残されている）。なぜなら、貧しい部族にあっては民から搾取することはできない。従って部族長に選ばれる者は、部族に富をもたらす知恵者が選ばれることになり、当然、部族長も貧しい生活を強いられる。これがいわゆる原始共産制である。

しかしヒトは「考える」知恵を得ると共に、富という欲（価値の拡大という得《とく》）に走ることになった。つまり西洋戦争（侵略）社会とは、その欲の典型であり、彼らは戦争に勝つために、理性という知恵を発達させたが、ヒトはその強欲を生きる存在だ、という自省が彼らにはまったく発達しなかった、と言うより考えてみようともしなかった。つまり民主主義にしろ、共産主義にしろ、その「私」の根底に強欲がある限り、そこに格差が生じるのは当たり前だ、ということが分からない。

いずれにせよ、天皇家は様々な内紛を経ながらも、日本人の歴史的古層における清明心の象徴的存在となった。その表れは京都御所がまったく無防備であることからも明らかだろう。そして大東亜戦争敗戦後も、その戦争責任を問う者は、一部の西洋かぶれが批判した以外、国民の多くは清明心を共有していたが故に、非難する者はいなかった。

さらに古事記という日本神話の特殊性である。それは世界にほとんど類を見ないと思うのだが、国の中心にある皇祖神が母神だということである。それは日本がガラパゴス的思想進化をしたことの証であって、それは極めて古い神話が保存されていることを意味する。

多くの人が誤解しているのは、神話とは歴史的事実を比喩として語っているわけではなく、彼らなりの原始言語のもつ歴史観で語っている、ということである。つまり言語のない世界（サル）から、言語（ヒト）化するとは、われわれの持つ合理的思考とは無縁であり、従って彼らにはわれわれが考えるような歴史観はなかった、ということである。すなわち、彼らにとって天照大神も、大国主神も、虚構である神として存在し、信じられていたのである。それは今も西洋では、『聖書』が信じられているのと同じである。

それが中国からの漢字文化の流入と共に、合理的思考の流れ込みによって、それが『日本書紀』に書き改められたのである。そのことは古事記の一見、稚拙に思える記述は、ヒトの「考える」能力の限界がどのようなものであるのかを示しているのであって、戦後日本人の、ただ暗記することを「考える」ことだと思っている人間より、はるかに「考える」能力があった、ということである。

日本人と仏教

日本人は古代、神道という清明心を持ってはいたが、それだけでは、ヒトの生の持つ負（マイナス）の面を補うだけの思想には至らなかった。つまり人の生に係わる苦の面である。それゆえ苦（厭世）の宗教である仏教は、容易に日本に根を下すことができた。しかしその後、神仏習合によって両者の区分はかなり不明瞭となり、また日本人自身もそれでよい、という面を持っていた。しかも、今日ほぼ完全に仏教思想が失われてしまっている日本において、仏教を語ることは極めて難しい。むろん教学としての仏教は残っているが、仏教思想の根本である無常観、無（悟り）といったものを、今日の日本人はもはや理解できない。

仏教は言うまでもなく、釈迦によって始まったものである。彼はインド王族に生まれ、結婚し、子を成しながら、二十九歳のとき、人生に無常を感じ出家し、苦行の末、悟りに達し、その最初の教えを鹿野苑《ろくやおん》で説いた人である。それについては詳しくは述べぬが、それは人が宿命的に負っている生老病死、貪り求める渇愛等の苦からの救いの教えである。

私は仏教について考え、自分がそれを歴史的古層において、いかに理解しておらぬかに心づいた。特に平安時代の密教、そしてその後の中世・乱世の浄土教である。むしろ私が理解できたのは、武士道に繋がる禅の無の思想であり、また夏目漱石が西洋文明の流入によって脅かされた心の苦を、禅の無によって解決しようとしたところのものである。従って私は、王朝女流文学、そしてその後の、西行、鴨長明、兼好、世阿弥、心敬、利休等、またさらに下って芭蕉といったところは、正直よく分からなかった。そして日本人にも分かっていないのではないか、という疑問も生じてきた。それは戦後の、西洋かぶれの空っぽ頭に、果たして理解できるのか、ということである。

そしてそれを理解するためには、結局のところキリスト教で用いた自己偽善の思想を援用するしかない、という結論に至った。つまりヒトにはそもそも苦などなく、それは虚構（嘘）によるものだ、ということである。

それはたとえば言語（価値）を知らぬ赤子は、その表現法としてただ泣くだけであって、自分が苦に苛まれているという自覚もなければ、また子供が貧乏を大人ほど苦にしないことである（これは幕末、まだ貧しかった日本を訪れた西洋人・ヒュースケンが「子供たちの愉しい笑い声」を聞いたと記している。渡辺京二著『逝きし世の面影』〔後述〕より）。

しかし言語（価値）を生きることになったヒトは、その価値の拡大という快（得《とく》）と共に、マイナスの価値という苦をも負うことになった。つまり宗教とは、本質的にその苦を自己偽善によって、自ら神という超越的存在（神的超越性）を作り出し、その前に拝跪することによって自らを騙す、からくり思想だということである。

従って仏教に限らず、宗教とはある種の呪《まじな》い（呪術）である。それはヒトが、価値の拡大を生きる存在となったが故に、まさにその対極にある死というマイナスの価値に対し、無意識にもせよ「不安」を抱く存在になった、ということである。それを現代人は、西洋医学によってある程度解決したが――それは新型コロナの流行によって、人々が不安に駆られたことによっても明らかだろうが――まだその価値が確立していなかった時代、人々はなんらかの呪いによってそれを静めるしかなかった。

平安時代の密教における加持祈禱にしろ、その後の浄土教の念仏にしろ、それである。自己をその不安から目を逸らしたいがために、そしてその不安が大きくなれば踊念仏のような、ある種の「集団ヒステリー」によって、我を忘れるまでに高めなければならなかったのである（本書では集団ヒステリーの概念については触れぬが、それはヒトの「生」が帯びる「力への意志」を分析したものである）。

この集団ヒステリーは、キリスト教においても同様に起こっている。たとえば魔女狩りと称して、多くの人々を焚刑に処した大衆行動である。

それらはすでに述べた、死という不安に対し自己偽善によって自己を騙し、そこに神を作り出すことによって平安を得たいという、サルがヒトに進化してしまったが故に、本然として抱かねばならなくなった苦に対し、自己自身を騙すという、騙しのからくりである。

そうした理解の上で、以下、日本に流入した仏教を、文学を通して眺めることにする。まず『万葉集』後期の歌人・大伴旅人の歌である。

世の中は空しきものと知る時し
　いよいよますます悲しかりけり

この「空し・虚し」の語彙を『岩波古語辞典』を引くと次のようになる。
①中になにもない。からっぽである。②事実がない。③なにも結果がない。無駄である。④はかない。無常である。⑤命がない。形骸化している。

そうした語意からこの歌を理解すると、人の世は生々流転、定まるところのない無常として捉えられ、それを自己偽善によって、「空し」という虚構（嘘）の美（価値）に移し替え、その無常美という信仰によって、生の苦しみを乗り越えようとした歌だ、ということである。その歌意の底流には、ヒトの死の苦しみを、仏教信仰による宗教生活によって解脱しようとする意思がある。

さらにこの「空し」の語感は、平安朝期の文学（特に女流）の底流に「はかない」「あわれ」として流れ込んで行くことになる。そしてその時代、女流文学というものが成り立ったのは、当時の貴族社会における権力構造が、彼女らをして教育者として存在することを可能にしたからであり、それと共に彼女らに時間的余裕、および自我の目覚めを呼び起こさせた結果として起こったことである。この「はかない」「あわれ」といった美感の虚構性は、平安朝期全体を覆うものである。

たとえば、古今集以後の勅撰和歌集の定番である「恋」と「四季」との部立である。

恋も四季も、その本質は虚構（嘘）である。

まず恋は、ヒトはサルの生殖本能を生殖本能的価値に進化させ、その生の上昇（力への意志である価値の拡大）を、生殖的集団ヒステリーの下に言語（価値）化したものが恋である。つまり恋とは生殖としての（生の上昇としての）価値の拡大であるから、その価値（恋の相手）を得てしまえば、その異性に対する価値の拡大としての魅力（欲）は失われていく。

それはたとえば、『源氏物語』の光源氏が、彼にとって最高の女《ひと》とした紫の上を得たにも拘らず、様々な浮気をするのはそのためである。そして女としての最高の価値である、子を成すことができなかったところに紫の上の苦悩の本質があることを、紫式部は女の本能として知っていた。

平安朝期に限らず、恋のメカニズムとはそうしたものである。

紫式部は秋に「あわれ」を感じる女《ひと》であった。それは無意識にも、彼女が古層において、死への不安を抱いていたということであり、そこから自己偽善によって目を逸らすことが、彼女に『源氏物語』を書かせる原動力になったのである。

それは『源氏物語』の「須磨」における「またなくあはれなるものはかゝる所の秋なり」、また「手習」の「山里の秋の夜ふかきあはれ」等、様々なところに見られる。さらに紫の上が秋の女《ひと》であったように、光源氏も栄耀栄華の末、秋の男《ひと》となった。そして『宇治十帖』は秋から冬への衰亡の物語である。つまりそこにあるのは無常の美である。

他方、四季の方であるが、それは「雪月花」という美意識に基づくものと思われる。それは『和漢郎泳集』にある白楽天の「交友」と題された詩、

琴《きん》詩酒の友は皆我を抛《なげう》つ　雪月花《せつげつくわ》の時最も君を憶《おも》ふ（抛つは散り散りになって去る）

に見られるように大陸（唐）から伝わってきた、四季とはまったく関係のないものを、日本人が四季にアレンジしたものである。当時の貴族の多くは暇を持ち、しかも死を含めた様々な苦に取り囲まれる日常であったから、少しでもそれから目を逸らすために、仏教の無常観の下に雪月花という虚構（嘘）の美の上に価値を置き、それに基づき歌を詠み合うことによって、日常の苦と暇とから目を逸らしていたのが、古今集以降の歌集の本質である。

紫式部が秋の女《ひと》であったということは、その衰亡の美に価値を置き、その美による自己偽善によって、自己の苦を騙していたように、平安仏教も同様のメカニズムによって、自己を騙していた、ということである。

当時の貴族は、春にも価値を置いていたが、その春でさえ唐から伝わってきた梅ではなく、潔く散る桜に価値を置いたということは、当時の貴族はすでに衰亡の中に美を見ていたことの証である。そうであれば月に美を見たのも、そこに西方極楽浄土の価値を置いていたからである。

当時、まだ「考える」能力の発達していなかった日本人ではあるが、平安朝末期になると、ヒトの持つ闘争本能的価値の力に目覚め、考える能力も進み武士の台頭を呼び起こすことになった。しかしその武士である平清盛でさえ、まだその自覚に乏しく、貴族生活の延長線上に自己を置くことによって、平家滅亡に至ることになったのである。

しかしすでに衰亡（亡び）の美意識を生きていた日本人——それほど仏教の無常観は、日本人の心に深く根を下ろしていた——は、それを『平家物語』という軍記物として語ることになった。そしてこの亡びの美学は、戦にのぞむ武士を美しい甲冑に身を包ませることになった。

それに対し戦乱を避けた人々の美意識——西行、鴨長明、兼行（後者二人は神官）等——は、貴族的価値観を仏教の遁世による無常観のそれに置き替え、受け継ぐことになった。

現代人がこれらの人々の作品を読んでも理解できぬのは、無常観という死への不安を、あえて遁世による美意識によって目を逸らさねばならぬ不安と、まったく無縁の平和ボケの世界を生きているからである。つまり遁世とは、今の言葉で言えばホームレスになることであり、彼らが自ら進んでそうした世界に身を置くということは、彼らの無常観がいかに深かったかの証である。そして彼らの思想の底流は、外形こそ変われ、後の世阿弥、心敬、利休等、そして江戸期の芭蕉にまで及ぶことになる。

ところで、乱世における民衆は、遁世による美意識などという高級な思考は、持ち合わせていなかった。彼らはひたすら現実から逃げる宗教である浄土教の阿弥陀信仰に走り、念仏によって来世を願った。と同時に夢幻泡影《むげんほうよう》（金剛般若経）観の持つ、この世を夢《ゆめ》、幻《まぼろし》と見る自己偽善による騙しによって、この世の苦から目を逸らしたのである。

夢幻泡影観とは空観である。それは室町時代に歌われた歌謡集『閑吟集』では次のようになる。

ただ何ごともかごとも
夢まぼろしや水の泡
笹《ささ》の葉に置く露の間に
味気なの世や

何せうぞ、くすんで

一期《いちご》は夢よ、ただ狂へ

そしてこの無常美観は同時代の、世阿弥、心敬、利休等、さらに後の芭蕉へと受け継がれていく。むろん彼らに通底するものは同じではあっても、平和な江戸時代を生きた芭蕉はもはや秋冬の人ではなく、四季の人という違いはあるが。

彼らの思想は、紫式部の秋（亡び）の価値観が、さらに日本的に——遣唐使の廃止以来、半ば鎖国化状態になったことで——洗練、深化したのである。

世阿弥、心敬でいえば平安朝期の無常美が、さらに深まって幽玄の美となり、それは世阿弥の『花伝書』における「花の萎れたらんこそ面白けれ」「老木に花の咲かんが如し」と枯淡な冬を思わせるものとなり、それは『心敬僧都比登理言《そうづひとりごと》』では、「氷ばかり艶なるはなし」とまさしく冬そのものとなる。

そして利休のわび茶においては、権力者・秀吉の華麗な美に対し、わび屋という空観としての茶室に置いたのである。その心にあったのは、藤原定家の次のような歌であった。

見わたせば花も紅葉もなかりけり

浦のとま屋の秋の夕ぐれ

これらに通底しているのは、色即是空観である。

そして秋冬から四季（自然）の人となった芭蕉の『奥の細道』の書き出しは、次のようなものになる。

月日は百代《はくたい》の過客《くわかく》にして、行かふ年も又旅人也。舟の上に生涯をうかべ、馬の口をとらえて老をむかふる物は、日々旅にして旅を栖《すみか》とす。古人も多く旅に死せるあり、予もいづれの年よりか、片雲の風にさそはれて、漂泊の思いやまず、……

これもまたホームレスの美学である。つまり自己の無常の生を、自己偽善を通して日本という風土の持つ美に価値を与えることによって、自己の漂泊生活に価値を持たせ、肯定したのである。

この夢幻泡影観は武士においても変わらなかった。

信長の愛したといわれる幸若舞の「敦盛」の一節は次のようなものである。

人間《じんかん》五十年　下天の内にくらぶれば　夢幻《ゆめまぼろし》の如くなり　ひとたび生をえて　滅せぬ
者のあるべきか

また秀吉の辞世にしても同様である。

露とをち　露ときへにしわが身かな
　なにはのことも夢のまた夢

彼らもまた、この世を夢、幻と見ていたのである。

武士道——戦国時代から大東亜戦争まで

これまで述べてきたことを元に、武士という存在を考えてみる。
ヒトはサルから受け継いだ四つの本能的価値を生きている。食餌、生殖、闘争、群れのそれぞれの本能的価値であるが、ここで問題となるのは後者二つである。日本はガラパゴス的島国であったから、ヨーロッパ大陸とはまったく異なる思想進化をしてきた。ヨーロッパ地域は、闘争本能的価値に基づく戦争（侵略）社会であったから、それに勝つためにキリスト教による自己偽善によって、「私は考える」思考法に至った。しかしそれは「私たち」という群れ本能的価値を壊すことであったから、労働は孤独な嫌な作業となった。つまり労働が奴隷作業になったのである。そこに資本主義、植民地主義等を生み出す素因があった。すなわち彼らにとって「考える」とは、戦争に勝って得《とく》する（労働から解放される）ためのものであった。

むろん日本人も闘争本能的価値を持っていたから、武士というものが台頭してきたのだが、彼らがもともと持っていた歴史的古層は古事記的世界である。つまりヨーロッパ人と決定的に異なるのは、武士は支配者ではあっても「村」人（農工商）に養ってもらっていた、という事実である。すなわち武士は「村」人を「生かさず、殺さず」（生かさずとは権力を持たせず、また殺さずとはそれなりの保護を与える）として扱ったのに対し、「村」人は武士に対し、たとえば領主が代り、新領主の前に出るとなれば、旧領主の悪口を言ってゴマを摩って「逃げ」ていれば、生き延びられた、ということである。この歴史的古層

（「本来のおのれ」の支配力）は今日に至っても、自虐史観として残っている。

そうであれば、「村」人の「考える」能力はゴマを摩ること以外発達せず、しかも「村」社会にある掟という善悪の価値観が、歴史的古層化されているから、それを破る者は「村」八分にされるという強い「空気」の圧力に支配される社会となった。

その意味では、武士の「村」支配は容易であった。なぜなら、「村」人に「考える」能力がなかったから、「生かさず殺さず」の「空気」の圧力さえかけていれば、よかったからである。

いずれにせよ、自然豊かな島国に住む武士は戦争をするにしても、ヨーロッパ人の砂漠の思想に基づく「得《とく》」（利益）のための略奪ではなく、言わば闘争本能的価値に基づくほぼ権力闘争に勝つためのものでしかなく、そのために「考え」、戦《いくさ》をしたのである。

しかも武士はもともと、自然と同化した農民の出自であったから、キリスト教のような砂漠の宗教と係わることも、結び付く素地もなかった。つまり農民が、古事記に見られる「損をする談合」のような歴史的古層を持っていたことは、武士にも受け継がれたという、複雑な歴史的古層を持つことになった。もし武士が、ヨーロッパ人のような「得」する（侵略する）思考に基づいて行動していたら、今日、天皇家は存在していないだろう。

武士がどのような考え方を持っていたかを、幕末の志士に大きな影響力を与えた会沢正志斎の『新論』から三つばかり挙げる。

……天祖《あまつみや》、嘉穀《かこく》（よい穀物）の種《しゅ》を得たまひ、思へらく以て蒼生《そうせい》（人民）を生活すべしと。乃《すなわ》ち之《これ》を御田《みた》に種《う》ゑたまふ。又口に繭《まゆ》を含みたまひ、而して始めて養蚕の道有り。是《これ》を万民衣食の原《もと》と為す。……

異目狡夷《かうい》（狡猾な西洋人）をして之《これ》に乗じ以て愚民を蠱惑《こわく》せしめば、則ち将《まさ》に相率ゐて復《また》狗《く》羯羶裘《けんせんきゅう》（犬羊の族）の俗たらんとす（風俗に染る）。

其の一に曰く、内政を脩《おさ》むることなり。其の目《もく》四つあり。士風を興《おこ》すことなり、奢《しゃ》靡《び》を禁ずることなり、万民を安ずることなり、賢才を挙《あ》ぐることなり。……

私は武士によるこうした統治の下に、明治国家が成り立っていたとしたら、申し分のないものになっていただろうと思う。

しかし残念ながら、武士は己の価値が分からず、武士道を廃することによって、日本は亡びの道を歩むことになったのである。

さらに武士道の何であるかを定義するのにもっとも相応しい書が『葉隠』（山本常朝述）である。『葉隠』ほど陳腐に誤読されてきた書物はない。そこから七つばかり挙げ、以下の論及に繋げる。


武士道といふは、死ぬ事と見付けたり。二つ二つの場にて、早く死ぬはうに片付くばかりなり。別に仔細《しさい》なし。胸すわって進むなり。図に当たらぬは犬死などといふ事は、上方風《かみがたふう》の打ち上りたる武道なるべし。二つ二つの場にて、図に当たることのわかることは、及ばざる（むずかしい）ことなり。我人《われひと》、生くる方がすきなり。多分すきの方に理が付くべし。若《も》し図にはづれて生きたらば、腰抜けなり。この境危ふきなり。図にはづれて死にたらば、犬死気違なり。恥にはならず。これが武道に丈夫（本質）なり。毎朝毎夕、改めては死に改めては死に、常住死身《しにみ》になりて居る時は、武道に自由を得、一生越度《をちど》なく、家職を仕果《しおほ》すべきなり。

幻《げん》はマボロシと訓《よ》むなり。天竺《てんじく》にては術師の事を幻出師《げんしゅつし》と云ふ。世界は皆からくり人形なり。幻の字を用ひるなり。

盛衰を以《もっ》て、人の善悪は沙汰されぬ事なり。盛衰は天然の事なり。善悪は人の道（判断）なり。されど、教訓の為には盛衰を以て（善悪の結果であるかのように）云ふなり。

勘定者はすくたるるもの（卑怯者）なり。仔細は（なぜなら）、勘定は損得の考《かんがへ》するものなれば、常に損得の心絶えざるなり。死は損、生は得なれば、死ぬ事をすかぬ故、すくたるるものなり。又学問者は才智弁口にて、本体の臆病、欲心など仕《し》かく（隠）すものなり。人の見誤る所なり。

「武士道は死狂ひなり。一人の殺害を数十人して仕かぬる（できかねる）もの。」と、直茂《なおしげ》公仰せられ候。本気にては大業はならず。気違ひになりて死狂ひするまでなり。又武士道に於て分別出来れば、はや後るるなり。忠も孝も入《い》らず、武士道に於ては死狂ひなり。この内に忠孝はおのづから籠《こも》るべし。

道すがら考ふれば、何とよくからくった人形ではなきや。糸をつけてもなきに、歩いたり、飛んだり、はねたり、言語《もの》迄も云ふは上手の細工なり。来年の盆には客にぞなるべき。さてもあだな（むなしい）世界かな。忘れてばかり居るぞと。

少し眼見え候者は、我が長《た》けを知り、非を知りたると思ふゆゑ、猶《なほ》々自慢になるものなり。実に我が長け、我が非を知る事成りがたきものの由。海音和尚御咄《かいおんおしょうおんはなし》なり。

常朝自身も「実に我が長け、我が非を知る事成りがたきものの由」と言ってるように、人は自分の長短というものが分からない。なぜなら、ヒトは単眼でしかものを見ることができぬから、自己分析ということができない。それは三島にしてもあれ程『葉隠』に傾倒しながら、その傾倒する自己を分析できず、従ってその分析内容を発言することができなかったから、その後の「三島事件」は、単なる「犬死気違」としか世間は見なかったのである。そうであれば、「逃げ走る」「客分」の歴史的古層に支配されている戦後日本人に、武士（『葉隠』）の価値など分かるはずもない。

まずは『葉隠』の代名詞とも言える「武士道といふは、死ぬ事と見付けたり」から述べる。

これはもともと島国日本という特殊な地政学的条件から、すでに古事記に見られるように、「損する」ことを当たり前とする歴史的古層を持っていたことに由来する。

余談だがこの歴史的古層は、今日の日本人にまで続いている。たとえば拾った財布を警察に届けたり、あるいはサッカーの試合後、サポーターが自席を掃除して（タダ働きをして）帰る、といったところにも見られる。西洋人は決してそうした「損」をすることはしない。

つまりそうした歴史的古層を持つ武士は、「死は損」という考えを持たなかった。それは戦前の日本「村」人の多くも、たとえ「死は損」と感じても、そも彼らは「考える」能力を持たず、しかも「村」社会の「空気」の圧力によって、その思考に行き着く者はほぼいなかった。

ただ、「死は損」という思考を持っていた、丸山眞男のような「学問者は才智弁口にて、本体の臆病、欲心など仕かくすもの」は、敗戦による連合国の「東京裁判」に象徴される「盛衰を以て、人の善悪」とする思考が入ってくると、それに乗じて日本の戦争を「間違った戦争」とし、それに多くの「学問者」が追随したのである。そしてその後、資本主義という「得《とく》」する思想が流入することで、丸山の価値観は日本人の意識上（古層は別）に定着したのである。

そうした日本人の意識上の変革によって、後に述べる司馬遼太郎に代表されるように、武士を理解できる者はいなくなった。たとえば吉田松陰、西郷隆盛、三島由紀夫等は、ただ不可解な人物としか映らなくなった。そうであれば況《ま》してや、追腹を切ることなど理解の埒外に置かれることになった。

常朝自身「武士道は死狂ひ」として、主君・鍋島光茂の死に殉じようとしたが、光茂の殉死禁止令によって命を長らえ『葉隠』を残すことになった。

それに対し、西洋には「死は損、生は得」という考え方があるから、アメリカ人が「自国のために戦う意思」が、ギルバート氏の数字では四四パーセントにしかならぬのである。

そう考えれば、戦後「生は得」であることを覚えてしまった「逃げ走る」「客分」である日本人が、「自国のために戦う意思」が一一パーセント（佐伯氏の数字でも一五％）、「わからない」が四二パーセントになるのは自然だろう。

もともと日本人の歴史的古層は、士農工商であったものが、敗戦によってその士が完全にいなくなった結果として、低いパーセントになったのである。と同時に「考える」能力を持つ者がいないから「わからない」人間が多くなったのである。つまり戦後日本には、武士という「考える」能力を持つ者（たとえば福沢のような人物）がいなくなったから、歴史、思想、文化等において「異目狡夷《こうい》」に「蠱惑《こわく》」され、「狗羯羶裘《くけんせんきゅう》の俗」に染まることになったのである。

まず武士として信長を挙げる。

彼を「桶狭間の戦い」等をもって、戦《いくさ》の天才であるかのように語られることは多い。では、戦の天才の資質とはなにか、というと分からぬ人が多い。それは計算された「博打」が打てるか否か、ということである。そしてその博打とは、敵将の首を取ることに自らの首を賭けられるか、ということである。従って桶狭間の戦いとは、まことに危うい博打であって、それは彼が天才であったという以上に、今川義元が博打うちとしてお粗末だった、ということである。事実、信長は二度とそんな危うい戦はしていない。

彼が天才だとしたら、浅井長政に裏切られ窮地に陥ったとき、「三十六計逃げるに如かず」として、ひたすら逃げに徹したことである。

後に述べるが、明治になって武士道が廃されることによって、そうした知略を持つ者がいなくなることによって、大日本帝国は亡んだのである。

さらに秀吉と家康との関係である。両者は「小牧・長久手の戦い」で争い、一応家康が勝っているが、決定的なものではなかった。結局、その後、家康の方が折れ、彼は江戸という僻地に移封された。なぜ折れたのかと言えば、推測として秀吉に「人たらし」の異名があるように、彼には談合家としての天才的能力があったのだろう。

だが家康も彼なりの博打を打っていた。彼は秀吉の能力をよく知っていたから、戦って勝てる（首が取れる）という確信がなかった。そこで彼は別の方法で首を取ることを考えた。それは秀吉より長生きすることである。彼は秀吉より若干若かったが、しかし人の寿命は天命である。それでも彼はそれに賭け、そのためにいわゆる健康オタクとなり、そして後《のち》の徳川幕府を計算したかのように、子を作ることに励んだのである。優れた武士とは、どんな形にしろ計算された博打が打てることである。後は天運であるが、計算された博打が打てなければ、天運を引き寄せることもできない。

さらに武士の思考法は、すでに信長、秀吉で述べたように、この世を夢幻泡影、色即是空（無）と見ていたことである。

『葉隠』の「幻《げん》はマボロシと訓《よ》むなり。天竺《てんじく》にては術師の事を幻出《げんしゅつ》師と云う。世界は皆からくり人形なり。幻の字を用ひるなり」とは、そのことを言っている。

それはすでにニーチェが「我」（意識）は「肉体のなかに住む『本来のおのれ』」（ニヒリズム〈虚無〉という知られない賢者）に「支配」されている（からくられている）、と言っていることは、武士が「肉体のなかに住む『無』」に「支配」されている（からくられている）ことでは、本質的に同じである。むろんニヒリズムと無とは同じではないが、それについては最終章で述べる。

つまり武士にとって、この世を夢幻《ゆめまぼろし》と見る己とは、「肉体のなかに住む『無』」に支配された「からくり人形」に過ぎぬ、ということである。これは西洋の肉体のない、意識の思想（「私は考える」）とは、まったく異なる肉体の思想である。そこに武士道の、たとえば剣の修行を通して無に至るのと、座禅修行の無との共通点がある。

ところが明治になって、武士道の肉体の思想が廃され、ただその外形だけを耳学問として教えられた徴兵「村」人軍人は、その本質にある、「肉体のなかに住む『無』という賢者」を理解することはなかった。だから『新論』の「賢才を挙ぐること」ができなかったのである。

さらに常朝は、「道すがら考ふれば、何とよくからくった人形ではなきや。糸をつけてもなきに、歩いたり、飛んだり、はねたり、言語《もの》迄も云ふは上手の細工なり。来年の盆には客にぞなるべき。さてもあだな（むなしい）世界かな。忘れてばかり居るぞと」と述べているのは、大伴旅人の歌の「空し」に通じる日本人の歴史的古層にあるものである。

ちなみに常朝のこの言葉は、ほとんど哲学者の思考と言ってもいい。なぜなら、人はからくり人形でもないのに、歩いたり、飛んだり、はねたり、言語《もの》を言うのはなぜか、というその仕組みに疑いを抱いているからである。戦後、ヒトに対しそんな疑念を持った日本人はいない。それは武士以外の「村」人は空っぽ頭だからである。

そのことは、西洋思想の歴史的古層を成している意識（「有る」）の思想を、日本人がいくら努力しても理解できぬ、ということである。結局、猿マネするしかない、ということになる。

武士はそうした「あだな」さを生きていたから、簡単に命を捨てることができ、博打のような思考もできたのである。

しかし明治とともに、その武士道が捨てられることによって、日本は亡びの道を歩むことになった。そうであれば、戦後の日本人に（三島を除けば）武士道など分かるはずもない。その代表的人物がすでに挙げた司馬である。

たとえば彼は「暗殺だけは、きらいだ」と言っておきながら、「桜田門外の変」だけを例外とする。暗殺も所詮、戦争の一《ひと》つの形に過ぎない。そうであれば、彼の代表作の一つ『竜馬がゆく』も「勝てば官軍」（勝ち馬に乗る）観でしかない。それは『葉隠』の「盛衰を以て、人の善悪は沙汰されぬ事なり」、つまり勝ったからと言ってそれは善とは関係のないことが、分かっていないことである（戦後の日本人はこの区別がつかない）。彼は十二歳の少年の視点でしか幕末史を見ることができなかったから、少年歴史マンガになってしまったのである。それは、彼には井伊大老という徳川幕府のトップが、選《よ》りに選《よ》って暗殺された（首を取られた）という事実は、それまで保たれてきた幕府の権威が、地に落ちたということであり、それこそ幕藩体制の衰退の始まりに外ならぬ、という自覚がない。

それが歴史的大局から見れば、大事件であるのに対し、竜馬暗殺は、言い方は悪いが雑《ざ》魚《こ》の死である。司馬には歴史が本質的に分からない。歴史のからくりが、である。

それは日露戦争を『坂の上の雲』とし、善と捉えているのに対し、大東亜戦争を悪として批判しているのも同じである。これらがほぼ同質の愚かな戦争であり、強いて違いがあるとすれば、日露戦争がその先駆けであり、運よく引き分けに終わったというだけの差である。

なぜ日露戦争が愚かかと言えば、まともな武士ならこんな戦争はしない。つまり明治になって武士道が廃され、その思想が消滅したから、こんな愚かな戦争をしたのである。

なぜ愚かかと言えば、ロシアと戦って日本の負けはあっても、勝ちはなく、しかも英国の代理戦争だということである。勝ちがないとは、間違っても敵将の首を取ることのできぬ戦争であり、まともな武士なら回避するはずである。ただ一人(かどうかは知らぬが)、戦争回避に奔走したのが武士・伊藤博文である。事実、日露戦争は日本の勝利ではなく、T・ルーズヴェルトの斡旋による講和であり、それを「勝った、勝った」と言い触らす政府も政府であれば、そんな情報操作にうかうかと乗る国民も国民である(この国民の幼児性は今も変わらない）。

そのことは、日本の政治家、軍人にはすでに「敵を知り己を知れば百戦危うからず」の軍事思想が失われている、つまり「戦わずに勝つ」という外交戦争が最良の策――秀吉、家康はその才に長けていた――が完全に失われた、ということである。事実、日露戦争後も日本はさんざんソ連に苦しめられてきたのである。もし真に勝っていたなら、そんな事態は起こらなかったはずである。

これは余談だが、伊藤に限らず明治政府を作った武士には、憲法も、自由民権も、議会もまったく分かっていなかった。それは政治と軍事とを一手に引き受けていた武士には、シビリアン・コントロールそのものが理解できなかった、ということである。だから自由民権運動も議会も流産し、憲法も済し崩しに拡大解釈されていくことになった。彼らはあくまで武士であったから、それらの思想をマネはできても、彼らの歴史的古層にそれらの思想はまったくなかった、ということである。

だから彼《か》の悪名高き「統帥権」を持って、彼らは形こそ変えこれまで通りの支配を続けようとしたのである。つまり天皇をトップに置き、実質支配は武士の名を軍人に改め、その支配を続けようとしたのである。その事実は、徳川幕府と明治政府との違いは、それまでの幕藩体制を中央集権国家体制に改めたというだけのことで、しかもそれによって徳川家という武家である政治・軍事のトップを失ったことで、明治以降の日本は国家の要である統治能力を持つ武士を失い、代わって「村」人がその地位に就き、縦割り統治（行政）を行うことによって、日本は崩壊していくことになるのである。そしてそれは戦後もなに一つ変わっていない。つまりこの国の歴史的古層は士農工商であって、士が存在しなければ国家は成り立たぬ、ということである。

そうであれば、伊藤の頭に当時、疲弊しきっていた朝鮮半島を植民地化する意図など微塵もなかったはずである。しかも武士の支配民に対する歴史的古層は、「生かさず殺さず」であったから、植民地化などすれば「損」をするに決まっている、という直観も働いたはずである。

そして伊藤暗殺後、日本政府は無考えに朝鮮半島を植民地化していった。彼の死と国家の損失との損得勘定のできるだけの人材がいなかった、ということである。これは日露戦争を行った政治家・軍人の愚かさと同じである。

そういうことが司馬には分からなかった。武士という存在は「盛衰を以て、人の善悪」としないと言うことが。

その後、日露戦争において、あたかも「勝った」かのような誇大妄想に陥った「考える」能力ゼロの日本人は、丸山の言うように大東亜戦争に向かって「何となく何物かに押されつつ、ずるずると国を挙げて戦争の渦中に突入」（『超国家主義の論理と心理』）していくことになるのである。それは良くも悪くも武家である井伊直弼のような統治者を失った日本は、「村」社会政治家・軍人の派閥（縦割り政治）争いの中で、国家の利益を考えることもなく、「村」社会という派閥——たとえば陸軍と海軍——の利益のために戦争を拡大していくことになったのである。

戦前の日本軍はそんなものであって、ギルバート氏が「信じられない日本兵の強靭さ、気高さ」と書くようなものでも、またストークス氏が同様の意見を述べるようなものでもなかったのである。つまりそれは日本「村」社会の「空気」の圧力、および彼らの「考える」能力ゼロ、また生に対する夢幻泡影観が「死は損、生は得」という考えを抱かせなかったことが、結果的にそう見せただけのことなのである。だから戦後、「生は得」ということを覚え、しかも国家意識を歴史的古層に持たぬ「村」人は、手の平を返したように自虐史観に走り、愛国心——もともと持っていなかったのだから——を失っていったのである。

戦前の日本人がどんなであったかは、丸山眞男著『日本の思想』の次のような記述が参考になるだろう。

かって東大で教鞭をとっていたE・レーデラーは、その著『日本=ヨーロッパ』のなかで在日中に見聞してショックを受けた二つの事件を語っている。……（一つ目は省略）……もう一つ、彼があげているのは（おそらく大震災の時のことであろう）、「御真影」を燃えさかる炎の中から取り出そうとして多くの学校長が命を失ったことである。「進歩的なサークルからはこのように危険な御真影は学校から遠ざけた方がよいという提議が起こった。校長を焼死させるよりはむしろ写真を焼いた方がよいというようなことは全く問題にならなかった」とレーデラーは誌している。

このことは日本「村」人が、いかに空っぽ頭で、夢幻《ゆめまぼろし》世界でゴマを摩り、「空気」の圧力に屈するかを明らかにしている（それは戦後も変わらない）。つまりギルバート氏らの言う日本兵の信じられぬ強さとは、適当な言葉ではないかもしれぬが、単に自棄糞《やけくそ》に戦ったというだけのことである。

その中でも真珠湾奇襲攻撃作戦を立案した山本五十六には「考える」能力もあり、博打の才（本人もそう言っている）もあったが、所詮、縦割り派閥政治の中での駒に過ぎなかった。

もし当時、武士の思考のできる者が政治のトップにいたなら、さっさと大陸から撤退するなり――そも武士の思考のできる者がいたら、大陸になど進出していなかっただろうが――あるいはF・ルーズヴェルトの死を辛抱強く待つか、さもなくば、計算として成り立つなら、真珠湾攻撃後、ただちにアメリカ本土に突っ込み、その石油を奪うという作戦を立案しただろう。しかし、もはやそうした軍人の存在が許されなくなっていた戦前の日本の政治体制が崩壊するのは、時間の問題だったのである。

そしてそうした人間しかいなくなった戦後の「灰色の決着」を重んじる日本人とは――古事記の時代ならともかく――このグローバル化した世界にあっては、単に「考える」能力のない、「空気」を読んで「勝ち馬に乗」ってゴマを摩る人間しかいなくなった、ということである。

そんな日本人であれば「東京裁判」が、連合国が「盛衰を以て、人の善悪」に置き換えただけのものだ、ということも分からない。また丸山が「間違った戦争」と言ったのも同様で、所詮、武士とは無縁の彼は「勘定者はすくたるるものなり。仔細は、勘定は損得の考するものなれば、常に損得の心絶えざるなり。死は損、生は得なれば、死ぬる事をすかぬ故、すくたるるものなり。又学問者は才智弁口にて、本体の臆病、欲心などを仕かくすものなり」なのである。もし「間違った戦争」だと考えたのなら、そのとき言ってこそ意味のあるものであって、彼のやったことは、さながら後出しジャンケンの如き卑怯者の手口である。

戦後日本という墓場

私が戦後日本の墓場というのは、すでに述べたように明治維新から始まっていたのであり、武士という国家統治能力を持つ者が、失われることによって起こったことである。それは戦前が乱世であったのに対し、戦後が平事であるという違いを除けば、日本人の歴史的古層は変わっていない。つまり彼ら「村」人の歴史的古層には、そもそも「考える」能力がなく、ただマネすることを「考える」ことだと思っているだけであって、それは単に「空気」の圧力に屈するゴマ摩り思考でしかない。それはたとえば大江健三郎氏の次のような発言に見られる。

作家・大江健三郎氏は、アメリカで自衛隊についてこう語ったと、古森義久氏が報じている。

「日本の保守派にはこの憲法が米国から押しつけられたものだから改正する必要があるという意見があるが、米国の民主主義を愛する人たちが作った憲法なのだからあくまで擁護すべきだ。軍隊（自衛隊）についても、前文にある『平和を愛する諸国民の公正に信頼して』とあるように、中国や朝鮮半島の人民たちと協力して、自衛隊の全廃を目指さねばならない。終戦から五十周年のいますぐにもそのことに着手すべきだ」（『産経新聞』平成七年四月三十日）

これは単に「逃げ走る」「村」人が、領主・アメリカにゴマを摩りに行っただけのことである。つまり空っぽ頭の大江氏には、民主主義の主権者（「主人」）は国民であり、自国の憲法は自国民が作るのが民主国家だという「考える」能力がまったくない。だからアメリカという領主が日本を守るのだ、という「村」人の歴史的古層の発想しかできぬから、平気で「自衛隊の全廃」などと無責任なことが言えるのである。

さらに氏は次のようにも言う。

テレビの討論番組で、どうして人を殺してはいけないのかと若者が問いかけ、同席した知識人たちは直接問いに答えなかった。

私はむしろ、この質問に問題があると思う。まともな子供なら、そういう問いかけを口にすることを恥じるものだ。なぜなら、性格の良しあしとか頭の鋭さとかは無関係に、子供は幼いなりに固有の誇りを持っているから。……人を殺さないということ自体に意味がある。どうしてと問うのは、その直感にさからう無意味な行為で、誇りある人間のすることじゃないと子供は思っているだろう。(一九九七年十一月三十日『朝日新聞』)

戦後の「村」人「学問者」は平気でこうした幼児的詭弁を使い、日本「村」人はあたかも振り込め詐欺に引っ掛かるかのように易々と騙される。ならば聞くが、日本に存在している死刑囚を殺しているのはいったい誰なのか? 日本が独裁国家であるならば氏の理屈も成り立つが、氏は日本を民主国家だと考えているのである。氏はまさに市民意識ゼロの人間である。

この「考える」能力ゼロのゴマ摩り思考は、当然、氏だけに限られるものではなく、日本人の多くが持つものである。

たとえば朝日新聞である。彼らの「考える」能力ゼロのゴマ摩り無責任体質は、旧日本軍による従軍慰安婦強制連行二〇万人という記事に示されている。そもそも旧日本軍兵士は、戦場において生死を賭けて戦っているのであり、慰安婦を強制連行などしている余裕はない。仮に慰安婦の必要があっても――それはかつてどこの軍隊でも必要悪として存在していたものだが――それはその種の業者に任せれば済むことである。朝日「村」新聞にそうしたことが分からぬのは、彼ら「村」人の歴史的古層が、「逃げ走る」「客分」のものだから、国家・情報・軍隊等の文字がない。従って彼らは自らの歴史的古層にある「村」社会道徳価値観に基づく善悪で判断するしかなく、そうであれば侵略は悪であり――それでいて司馬の戦国小説などは面白がって読むのであり――しかも彼らの頭には金儲けの思考はあっても、「考える」能力はゼロだから簡単に『吉田証言』という振り込め詐欺に引っ掛かる、と言うより自らがその当事者だという自覚がない。

彼らの目的はただ儲けることだけだから、そのためには得する情報を流せばよく――だから『吉田証言』を精査しなかったのであり――しかも『河野談話』を行った河野洋平氏らの政治家とグルだったから、国家、国民に損をさせても、なんの疚しさも感ぜず、従って責任も取らない。

むろんそれは彼らばかりの責任ではなく、戦後日本愚国民はそんな新聞を一流だと思って読み、そうした愚かな政治家を選ばねばならぬ衆愚政治そのものにある、ということが分からない。

これは余談になるかもしれぬが、戦後日本「村」人が歴史的古層にもつ無責任体質を、象徴的に表しているのが映画『男はつらいよ』シリーズの主人公「フーテンの寅さん」である。彼はまさに社会責任放棄人間の典型であり、そういう人間を愛する日本人とは市民責任放棄国民に外ならない。そうであればこそ、朝日責任放棄新聞は成り立っているのであり、そのことは彼らはジャーナリズムとは無縁だ、ということである。そんな新聞を有り難がって読んでいる国民に、愛国心云々を問うても無駄だ、ということである。

そうであれば、ギルバート氏が言うように、戦後日本人が洗脳に染まったというより、もともと武士を除く日本人には、愛国心を形作る「私」がなく、従って責任意識も皆無であり、ただ「空気」の圧力（あるいは「空気を読む」）の思考下にあるのと同時に、彼らの意識レベルが「死は損、生は得」に変わってしまったことに根本的理由がある。しかも彼らの歴史的古層は、相変わらず「逃げ走る」「客分」であるから、日本国憲法にしがみつき「平和、平和」と唱えていれば、それが叶うかのような思考に陥っているのである。つまり戦後日本が墓場化したのはＧＨＱの洗脳というより、「自由と民主主義と」の流入により、「考える」能力ゼロの「村」人が「自分たちには何でも文句の言える権利（自由）があるのだ」と、十二歳の少年の頭で考えた結果である。

そのことは、自由と民主主義との本場であるアメリカにおいて、それらが銃によって保証されていることが、彼らには理解ができぬということである。彼《か》の国において、国家・個人の自由と民主主義とは、軍隊と銃とによって保証されるものだ、という個人の責任意識がある、ということがである。

そこにおいて言論の自由は保証されているが（なにを言ってもいいが）、朝日新聞のように自国民に「損」をさせるような報道――アメリカであれば原爆投下を批判するような報道――をしたら、その記者の命の保証は自己責任だ、ということである。つまり自分の言動は自分の責任で行うのが当たり前の世界だから、そも彼らは、自己責任論などという子供染みたことは言わない。極端な言い方をすれば、アメリカ銃社会とは、殺そうと殺されようと、それは自己責任だということである。そしてそうした思考が歴史的古層化してしまっているから、銃が手放せぬのである（それは武士の世界に似ている）。

そんな（自由と民主主義との）国家であれば、原爆投下批判報道をしてもなんの利益もないから、誰もそんなことはしない。そして彼らの社会は国家＝「私」（個）のそれであり、「村」社会ではないから、朝日対反朝日のような不毛な「村」社会論争（談合）は起こらない。極論を言えば、その白か黒かの決着は銃によってつけられる――それは民主主義の多数決に通底する――という歴史的古層を持っているから、彼らの言論の自由とは、日本人が考えるような、「なにを言ってもいい自由」ではないのである。つまり彼らの発言は無意識にもせよ、責任を持って行われているのであり、それはかっての武士が「武士に二言なし」と言ったのと同じである。つまり二言を言ったら命の保証はない、ということである。

民主主義とは白か黒かの世界であり、その五一％が権力を握る政治制度であり、しかもその政治思想は戦争から生まれたものであるから、有事には一つに纏まるという歴史的古層を持っている。ルソーが『社会契約論』で次のように言うのはそのことである。

そして統治者が市民に向って「お前の死ぬことが国家に役立つのだ」というとき、市民は死なねばならぬ（これは武士にも言えることである）。

ところが戦後の日本人の歴史的古層は、「村」社会の談合による「灰色の決着」であるから、そも「自分の意見」はなく「空気の意見」しか持たない。そしてただ無責任に文句を言える自由を、あたかも民主主義だと思っているのである。だから野党、政治評論家といった人々は外野席から、仮に政府が断固とした姿勢で臨めば、強権だとヤジを飛ばし、有事に決然とした判断をしなければ「後手」だとヤジるのである。どっちにしても、ヤジる自由のあるのが民主主義だと思っているのである。つまり民主主義が理解できぬ日本人は——「逃げ走る」「客分」の歴史的古層を生きているから——ただなんとなく、「お前の死ぬことが国家に役立つ時が来なければいい」と考えるから、日本国憲法にしがみつき、平和を訴えていさえすれば、叶うかのような「空気」のなかを生きているのである。すなわち、日本の自称民主主義者は、本能的に日本を真の民主国家にしようとする政治家を嫌うのである。

その象徴的政治家が、六〇年安保における岸信介首相である。

六〇年安保とは一言でいえば、それまでの米軍の日本駐留および日本防衛の無期限化を、相互防衛的条約（日米同盟）化しようとした岸首相に対し、国民の多くが反対して起こった運動である。国家意識を持つ者なら、米軍の無期限の駐留および彼らによる防衛とは、事実上、占領下にあるということであり、独立国家の体を成していない、—奴隷だ—ということである。ところが戦後の日本には「村」人という奴隷しかおらぬから、そもその歴史的古層に国家概念そのものがない。その事実は、民主主義であるか否か以前の問題である。しかも、空っぽ頭の「空気」で動く人々であるから、安保改定案などロクに読んでもおらず、ただ安保改正反対運動を指導した知識階層（たとえば丸山）とも言えぬ連中の、「米国の戦争に巻き込まれる」という、半ばデマ情報に踊らされた奴隷の集団ヒステリーである。言ってみれば中世、死を恐れ踊念仏に走った民衆となんら変わらない。

このことは「考える」能力を持たぬ者に、自由や民主主義を与えてもロクなことにならぬことの証である。つまりこの国は、政府が白と言っても黒と言っても文句をつけ、だからと言って灰色であると、指導力がないと言ってケチをつける無責任国民の国なのである。それが、国家意識を持たぬ「村」人「学問者」である大江氏、朝日新聞等である。彼らは言葉への重みを欠いた、完全な「無責任の体系」者である。これが「武士に二言なし」の江戸時代であったら、朝日新聞は取り潰しであり、無責任発言者は斬首だろう。所詮、空っぽ頭の「村」人奴隷は「生かさず、殺さず」が頃合であり、また「民は由らしむべし、知らしむべからず」（『論語』「人民を従わせることはできるが、なぜ従わねばならないのか、その理由をわからせることはむずかしい」の意。『ブリタニカ国際大百科事典』）なのである。

こう書くと、あたかも江戸時代が生きにくい社会であったかのように思われるかもしれない。たしかに武士にとっては、身分（家格）に縛られた社会であったが故に、福沢のような人間には生きにくかったかもしれない。しかし江戸庶民にとっては、先にちょっと触れた『逝きし世の面影』が示すように「素朴で絵のように美しい国」（ウェストン）だったのであり、それはチェンバレンにおいては、古い日本は妖精の棲む小さくてかわいらしい不思議の国であった。

のだが、すでに挙げたヒュースケンは次のように言う。

いまや私がいとしさを覚えはじめている国よ。この進歩はほんとうにお前のための文明なのか。この国の人々の質撲な習俗とともに、その飾りけのなさを私は賛美する。この国土のゆたかさを見、いたるところに満ちている子供たちの愉しい笑い声を聞き、そしてどこにも悲惨なものを見いだすことができなかった私は、おお、神よ、この幸福な情景がいまや終わりを迎えようとしており、西洋の人々が彼らの重大な悪徳をもちこもうとしているように思われてならない。

そしてその「重大な悪徳」がもたらした結果を、チェンバレンは次のように記す。

だからこそ彼（チェンバレン）は自著『日本事物誌』のことを、古き日本の「墓碑銘」と呼んだのである。「古い日本は死んだのである。亡骸を処理する作法はただ一つ、それを埋葬することである。……このささやかなる本は、いわば、その墓碑銘たらんとするもので、亡くなった人の多くの非凡な美徳のみならず、また彼の弱点をも記録するものである」

これらの発言は武士を含めた――『葉隠』や『新論』が示すように――かつての日本人の多くは馬鹿同然に、私益という損得勘定をしない、無垢にして純朴な人々だった、ということである。それは会沢、井伊、徳川慶喜、また彼らの敵対者であったかに見える松陰、西郷、大久保利通、福沢等にも共通する、私益を捨て公益（国家の利益）を優先することにおいては同じであって、ただその手法が違ったというだけのことである。

それは会沢が『新論』で、「士風を興すこととなり、奢靡を禁ずることとなり、万民を安ずることとなり、賢才を挙ぐることとなり」と言い、また井伊が「安政の大獄」を行い、さらに慶喜が鳥羽・伏見の戦いで負けるや、あたかも敗走、謹慎したかに見えるのも、また尊皇攘夷家・松陰が国禁を犯してまで黒船に密航しようとしたのも、さらに西郷が明治新政府から身を引いたのも――彼が西南戦争勃発に「しまった」と言ったのは、公益の失われることが分かったからであり、――そして大久保や福沢が異なる道を行ったように見えるのも、公益に走ることで富国強兵による「一国独立」を図ったことでは、みな同じなのである。

つまりヒュースケンが「西洋の人々が彼らの重大な悪徳をもちこもうとしている」と言ったのは、日本人の無垢にして純朴な心が、私益に走る愚かさに変わることを予感してのことなのである。事実、明治政府には私益に走る軍人・政治家がおり、それはその後、派閥軍人、さらに大東亜戦争へと繋がり大日本帝国は亡ぶのである。

そして戦後、自由と民主主義とが導入されたからと言って、日本人の妖精の愚昧さは、何一つ変わらなかった。つまり、ただひたすら西洋を猿マネし、奴隷のように勤勉に働き、その結果、経済復興はしたが、「村」人の空っぽ頭の歴史的古層にあった「損」する知恵――私益より公益を重んずる思想――は失われ、やがてバブルに浮かれ破綻していくことになるのである。そして彼らに残された愚昧さは、失われた二〇年と嘆くのである。馬鹿の救いようのなさは、自分が馬鹿だということが自覚できぬところにある。

ところで、ヒュースケンがどういう意味で「西洋の……重大な悪徳」と言ったかについての、私なりの解を与えておく。

これは一つの前置きのヒントとして述べるのだが、ある農家を営む母親と息子との話である。

それは息子がある株式で儲けた金を、親孝行のつもりで母親に持っていったところ、「そんな汚い金が受け取れるか」と拒絶された話である。そのことは、母親にとって働くとは、汗水たらしてなんぼの世界だ、という労働価値観があったからである。

私の言いたいことは、母親には資本主義が分かっていない、というようなことではなく、息子を含めた日本人には資本主義がまったく理解できぬことである。そのことは延いては、なぜヨーロッパに共産主義思想が生まれたかも分からぬ、ということである（もっともヨーロッパ人にも分かっていない。分かっていたら共産主義など生まれるはずがない）。

日本「村」人は空っぽ頭だから、それらをスミスの『国富論』、ウェーバーの『プロテスタンティズムの倫理と資本主義の精神』、マルクスの『資本論』等を読んで、猿マネし、一切自分の頭で「考える」ということをしない、と言うよりできない（それについては拙著『ニーチェから見た資本主義論』で述べたので、ここでは詳述しない）。

ここでは、なぜヨーロッパに資本主義、共産主義が生まれたのかの概要を述べるに止める。要点は八つである。

一、古代ヨーロッパに砂漠化に基づくキリスト教という宗教が生まれたこと

二、ヨーロッパは古代から戦争（侵略）社会であり、しかもそこにおける戦争は、砂漠化した土地のものであったから、戦争は略奪の（生存する）ためのものであり、そこに生まれた奴隷制もその一つであったこと。つまり彼らの歴史的古層において戦争（侵略）は善だったこと

三、ヒトはサルから進化したものであり、従ってヒトの持つ本能的価値の内の、群れ・闘争本能的価値では、戦争に勝つための「私は考える」ことができぬのを、彼らはキリスト教を疑似群れ宗教集団価値とすることによって、そこに帰属する者は神の保証の下に「私」で「考える」ことを可能にしたこと

四、しかしその「私」は群れ本能的価値を失った孤独な「私」であるから、本来、共感性価値観に基づく労働が、苦痛なものになってしまったこと

五、ヨーロッパ社会はキリスト教という砂漠化した宗教の下に成り立っているから、自然を破壊することになんの抵抗もなかったこと

六、その結果として、「考える私」は神の保証の下に、自然を破壊する自然科学という学問を生み出し、それが自然人であるヒトを奴隷（モノ）と見る思想の下に、分業という労働概念を生み出し、それが産業革命へと繋がっていったこと

七、そしてそこに略奪・奴隷（得する）思想、さらに労働を厭う思想があれば、産業革命は資本主義という、資本家（主人）と労働者（奴隷）との思想に発展して行き、さらにそれは得《とく》するための戦争である植民地主義（イギリス）、奴隷貿易（アメリカ）を生み出すことになり、それに基づく富が民主主義を生み出すことになったこと。西洋において労働者が簡単に解雇できるのは奴隷だからである

八、そうであれば、労働者の間からプロレタリアート独裁の思想が生まれるのは、自然なことであるが、その思想の致命的欠陥は、彼らはその歴史的古層において「私」の「得」のためにしか「考え」られなかったから、共産主義国家において労働者が主人に簡単に殺されることになったのは、彼らが奴隷（モノ）だったからであること

それに対して、日本人はかってての武士においても、略奪という得《とく》する思想を持たなかっ

た。それは戦前の軍事国家における植民地政策においてさえも、損《そん》をしていることからも明らかだろう。そうであれば、戦後の日本「村」人は、その歴史的古層において「損」する思考がいまだ残っていることになり、その「私」(個)のないところに成り立っている国家形態は、西洋人から見れば社会主義的に見えてもおかしくない。しかも国民に国家意識はなく、ただその目先の猿マネ頭で民主主義を解釈するだけだから、その底辺に資本主義という主人と奴隷との損得《そんとく》思想が横たわり、必然的に格差社会になることなど理解できない。従って彼らの民主主義理解は、奴隷頭の「生は得」以上を出ぬから日本国憲法を平和憲法と勝手に解釈し、しがみついているのである。そしてその空っぽ頭が、朝日新聞、さらに彼らと同じ歴史的古層を持つ日本「村」人の政治家、知識人等がそれを支持したから日本は損することになったのである。その損とは北朝鮮による拉致被害者、および韓国の傍若無人な言掛り等である。しかも日本「村」人の空っぽ頭は、その構図が読めるような頭脳を持たない。つまりそれを彼らに分からせようとしても無駄だ、ということである。なぜなら、彼らの歴史的古層には、武士のもつ「無私」の「私」で「考える」思考力がないのだから。

だから後に記す三島の死を理解できた日本人は皆無なのである。つまり国家意識のない

「村」人の空っぽ頭に西洋思想は、ただ「死は損」としか勘定できなかったから、そこに愛国心の芽生えることはないのである。

ところで母親と息子との話に戻せば、そも彼女にとって労働に損得勘定は入っておらず、それはただ自然や仲間と一体になって「和」の下に、汗水垂らして働き生きる、その苦役のなかに喜びを感じるという、日本人独特の歴史的労働価値観があるからである。

それに対し息子の方は、その空っぽ頭で株式に投資し、濡れ手に粟で金という「得」を手に入れたという自覚のないことである。それは母親にして見れば博打で手に入れた金でしかない。

むろん株式会社における株主は博打うちではないが、株主とその会社で働く従業員（労働者）との関係は、あくまで資本主義の本質にある主人と奴隷との関係でしかない。仮に健全な株主がいたとし、ある株式会社に投資し、その会社を健全に大きく育てることに努力したとしても、結局、株主は労働することなく、配当という利益を得るだけの主人でしかない。ましてや、資本主義という経済思想が「得」するためのものであれば、株式を安値で買い高値で売り捌き、その差益を手に入れるということは、ある意味、不健全な経済システム（博打）だ、といっても過言ではない、そうであれば当然、安い株価の株式を買い漁り、それを意図的に釣り上げ、売り捌くという、言わば、いかさま博打を打つ不心得者が現れても不思議はない。それはまた逆に、それによって損をする者も現れる、ということでもある。

つまり資本主義における株式会社とは、資本家（主人）と労働者（売り買いのできる奴隷）との関係であって、所詮それが博打になるのは自然である。

（これは私事であるが、私にはまったく資本主義社会に対応する能力がなく、さらに皮肉にも、そして忸怩たる思いで言うのだが、私は親の残してくれた株券で生きてきた人間である）

日本人が西洋人に比べてあまり株式投資を行わぬのは、すでに述べた母親のような歴史的古層を持っているからである。そして日本の、特に中小企業において、会社が苦境に陥っても解雇者も出さず、社員一丸となって会社を建て直したような話は、今日でも美談である。そしてそれが日本人の終身雇用労働価値観に繋がっているのは言うまでもない。それは日本人が「和」を以て――それは「損」をしてでも――私益より、「私たち」仲間の公益である笑顔を見ることに、喜びを覚える民族だということである。

それが日本に「もてなし」という「和」の損する文化の発達した理由であるが、戦後「得」することを覚えてしまった日本人は、それを「おもてなし文化」に変え、金儲けに走ることになったのである。

そしてそうした、失われつつある日本文明の価値観を歴史的古層に持つ日本人は、その原風景を求めるかのように幸福度指数の高い「ブータン」に憧れるのである。なぜなら、彼らは資本主義の「得」する思想を、今なお、かなりの程度、拒絶しているからである。

彼らのその歴史的古層は、幕末、日本人が黒船（西洋文明）を拒絶したのと同じである。それが会沢が『新論』で、日本は「天祖《あまつみや》」を中心とし「異目狄夷をして之に乗じ以て愚民を蠱惑」させてはならず、そのためには「士風を興すこと」「奢靡を禁ずること」「万民を安ずること」「賢才を挙ぐること」と言ったことの意味である。つまり幕末の動乱とは日本文明・日本国の維持ということでは、彼ら武士には共通認識があったのである。

そのことを会社に譬えれば、日本国におけるかつての実力者・徳川家という社長では、もはや持たぬと判断した薩長という実力のある部下が、絶対的権威者である天皇という会長を担ぎ出すことによって起こったクーデターである。それを戦後、愚民化され、蠱惑化された司馬などが、子供向け勧善懲悪歴史マンガに変えてしまったのである。

ここから以下は、福沢以後から今日に至るまでの、文学者を含めた思想家が、いかに劣化していったかについて述べる。

まず漱石、西田幾多郎である。彼らを挙げた理由は戦後の日本人と違って、彼らが西洋文明（思想）を理解しようと、いかに踠《もが》き苦しんだかを、分かってもらうためである。

すでに述べてきたことからも分かるように、武士（たとえば福沢）は武士なりに西洋文明を理解できたが、彼らは武士ではなかったことである。

まず漱石であるが、彼の苦悩はある意味、英文学が余りに分かり過ぎてしまったことである。当時の多くの文学者は、西洋文学という外圧（外からの「空気」の圧力）を、単に「私小説」（「村」社会小説）と翻案する知能しか持ち合わせていなかった。それに対し漱石の知性は、英文学（西洋文明）の核心にあるものが、そんな安直なものではないことが、分かれば分かるほどそれが分からなくなり、ついには神経を病むことになるのである。

その根本理由は、「私たち」「村」社会の歴史的古層をもつ彼には、西洋文明の根底にある個（「私」）の思想が、どうしても理解できなかったのである。それは理解できなくて当然なのだが、戦後の空っぽ頭の日本人は、理解しているのかどうかさえ分からぬほど、猿マネ頭化してしまったのである。

それを漱石は『現代日本の開化』で次のように言う。

西洋の開化は内発的であって、日本の現代の開化は外発的である。

この外発的が私の言う外圧である。戦後の日本人は空っぽマネ頭だから、そこを西洋思想という外圧（外発的）で埋めれば、それで済んでしまったのである。しかし漱石は、日本人も西洋人同様に内発的、すなわち「私は考える」でなければならぬ、と考えたのである。つまり外発的では「私は考える」ことはできず、すべて外部から入ってくる情報（知識）によって、空っぽ頭が埋められるだけに過ぎぬからである。

彼の『私の個人主義』における「自己本位」とは、その「私」を持つことであるが、しかし日本人にはその「私」を支えるキリスト教のような土台がない。従って彼はそれに苦しんだ挙句、ついに禅の無である「則天去私」によって、「無私」の「私」に行き着くことになったのである（戦後の日本人にはそれがまったく分からない）。

さらに西田も武士でなかったことでは同じである。だが彼は、日本人が「考える」ことができるとしたら、それは「無」の視点しかないことを直観し、その「無私」で西洋哲学に挑んだのである。それを失敗するに決まっていると言うことは容易《たやす》い。しかし「考える」とは、結果の問題ではなく、過程のそれである。結果を求めるのは「学問者の才智弁口」である。

戦後の哲学学者を見ているとつくづくそう思う。たとえば、今日流行《はや》っているハイデガーに対する意味不明な解説である。彼の思想の「頽落」が、不安から来るものであるとかないとか、どうでもいいことを長々と書き、それを読む間抜けな読者がいる、という現実である。そんなものを書く方も読む方も、頽落そのものに陥っているという事実に気づかない。

ある意味、西洋哲学、キリスト教は簡単である。もっとも今だから私もそう言えるのだが、私はそのために一生を棒に振ったのだから、そう簡単でないのも事実だが。

西洋は戦争社会だったから、否応なく死を真正面で見据えるしかなかった。その不安解消にキリスト教、哲学が生まれたというだけのことである。哲学するなら哲学書を読むのではなく、一年三六五日、死を真正面から見据えて生きろ、ということである。それが日本における『葉隠』等の武士道の思想である。

以下、戦後日本人が、文学・思想等においていかに外発的に（外からの「空気」の圧力で）思考しているかについて述べる。

たとえば小林秀雄である。彼という存在は小林節という難解な包装紙に包まれた、巨大で空虚な空箱《からばこ》である。当然、彼には日本の思想も西洋のそれも分からなければ、その区別もつかない。彼の文章は難解というより、もともと理解を許さぬ空箱そのものなのである。

彼に「真贋」という文章がある。

それは彼が手に入れた良寛の詩軸がニセ物であると分かったとき、いまいましくなり彼はそれを手許にあった名刀「一文字助光」で、ばらばらに切り裂いてしまうのである。それをある人物が（名は失念したが）「小林は、すごい、すごい」と讃嘆していたことである。

私には、安っぽい見せ物小屋芸人の芝居に感動している愚か者としか思えない。そんな事を書く方も書く方だが、それに感動する読者も読者である。

私が言いたいのは、小林が良寛の詩軸を無心ではなく、値札付き、あるいは金目で見ていることである。骨董屋がそうするのなら分かるが、それを評論家が、しかも金のために文章にし、それに感動する人間がいるという現実に、私は戦後の金（欲得）まみれの日本という墓場を見るのである。丸山が思想家扱いされるのもその欲得まみれの結果である。

さらに小説家・中村真一郎は、『失われた時を求めて』（プルースト）と『源氏物語』という、西洋と日本との区別もつかぬぐちゃぐちゃ頭であったから、あたかもそれらが類似したものに見えてしまったのである。彼の頭には無常観（はかない、あわれ）など微塵もない。だから戦後日本において、西洋かぶれが持て映やされることになったのである。

そしてさらに小説家・瀬戸内晴美氏である。私は氏の、家を捨て、不倫に走るなどの過去の私生活をそれとなく知っていたから、氏が出家し、名を寂聴と改めたことに別に驚きはしなかった。

が、近年たまたまテレビを見ていたら、氏が立派な家に住み、数人の若い女性にかしずかれ、上等な牛肉を貪り、しきりに「平和」を訴える姿を見て、思わず「これが出家かよ」と思ったものである。

私のような欲得ずくの人間でも、出家とは欲を捨てることだと思っている（だから私は

郵便はがき

料金受取人払郵便

新宿局承認

3971

差出有効期間
2022年7月
31日まで
(切手不要)

1 6 0-8 7 9 1

141

東京都新宿区新宿1－10－1
(株)文芸社
愛読者カード係 行

ふりがな お名前				明治 大正 昭和 平成 年生 歳	
ふりがな ご住所	□□□-□□□□				性別 男・女
お電話 番 号	(書籍ご注文の際に必要です)	ご職業			
E-mail					
ご購読雑誌(複数可)			ご購読新聞 新聞		

最近読んでおもしろかった本や今後、とりあげてほしいテーマをお教えください。

ご自分の研究成果や経験、お考え等を出版してみたいというお気持ちはありますか。

ある　ない　内容・テーマ(　　　　　　　　　　)

現在完成した作品をお持ちですか。

ある　ない　ジャンル・原稿量(　　　　　　　　　　)

書　名			
お買上 書　店	都道　　市区 府県　　郡	書店名	書店
		ご購入日	年　月　日

本書をどこでお知りになりましたか?

1.書店店頭　2.知人にすすめられて　3.インターネット(サイト名　　)

4.DMハガキ　5.広告、記事を見て(新聞、雑誌名　　)

上の質問に関連して、ご購入の決め手となったのは?

1.タイトル　2.著者　3.内容　4.カバーデザイン　5.帯

その他ご自由にお書きください。

(　　)

本書についてのご意見、ご感想をお聞かせください。

①内容について

②カバー、タイトル、帯について

弊社Webサイトからもご意見、ご感想をお寄せいただけます。

ご協力ありがとうございました。

※お寄せいただいたご意見、ご感想は新聞広告等で匿名にて使わせていただくことがあります。

※お客様の個人情報は、小社からの連絡のみに使用します。社外に提供することは一切ありません。

■書籍のご注文は、お近くの書店または、ブックサービス(0120-29-9625)、セブンネットショッピング(http://7net.omni7.jp/)にお申し込み下さい。

出家しない）。しかも世界には戦乱が絶えず、ろくに水も飲めぬ人さえいるというのに、上等の牛肉を貪って平和とは理解できない。

ところで、川端康成に「末期の目」というエッセイがあったと記憶する（残念ながら今、手許にないので内容は分からない）。それを私が勝手に推測すれば、彼の小説の美しさは、「生の末に死があるのではなく、死のなかに生がある」と見る視点があったからだと思う。

彼は『美しい日本の私』と題する講演で、道元の次の歌を引用する。

春は花夏ほととぎす秋は月
冬雪さえてすずしかりけり

これは「私欲」のない「無心」で世界を見ると、そのように見えるということである。それはかっての日本人が、多かれ少なかれ持っていたものである。

しかし戦後それは文学者に限らず、日本人全体が私欲を持ってしまったが故に、この価値観は失われてしまった。だから古典を読まぬし、読んでも分からない。

その答えを明確に示したのが三島由紀夫である。三島と川端とはまったく生き方は違ったにも拘らず師弟関係であり得たのは、その価値観の根底に共に「死のなかに生があった」ことである。そしてその末期の目は「日本の死」を見ていた。

だから、そんな三島の死（三島事件）を理解できた日本人はいない。彼の価値観に共感する私は、彼の檄分の最後の部分をここに示す。


われわれ戦後の日本が、経済的繁栄にうつつを抜かし、国の大本を忘れ、国民の精神を失ひ、本を正さずして末に走り、その場しのぎと偽善に陥り、自ら魂の空白状態へ落ち込んでゆくのを見た。日本を真姿に戻して、そこで死ぬのだ。生命尊重のみで、魂は死んでもよいのか。生命以上の価値なくして何の軍隊だ。今こそわれわれは生命尊重以上の価値の所在を諸君の目に見せてやる。それは自由でも民主主義でもない。日本だ。われわれの愛する歴史と伝統の国、日本だ。

この檄文を理解できる日本人（武士）は、もはや存在しない。それは幕末、多くの死んでいった志士の心を理解できる者がいなくなった、ということである（彼らの世界は少年歴史マンガにまで落ちた）。

たとえば、それは檄文を託された徳岡孝夫氏の次のような言葉に表れている。

三島さんの唯一の欠点は静かに老いるということを知らなかったことですね。

この言葉に戦後日本の墓場化が如実に示されている。それは民主主義にしても、すでに挙げたルソーの次のような言葉が理解できぬ、ということである。

そして統治者が市民に向って「お前の死ぬことが国家に役立つのだ」というとき、市民は死なねばならぬ。

彼ら市民の頭の片隅には、常に国家のために死ぬ覚悟があった。しかし戦後日本人の「逃げ走る」「村」人にそんなものはない。また独立国家になろうという気もなく、「経済的繁栄」による美食とお笑いとに「うつつを抜かし」、日本国憲法にしがみつく奴隷と化したのである。

自由と民主主義との国・アメリカ銃社会において「静かに老いる」とは、ある意味、金持ちに与えられた偶々《たまたま》のことであるに過ぎない。それは武士が畳の上で死ぬのが偶々であるのと同じである。

そのことを大道寺友山著『武道初心集』では次のように言う。

武士たらんものは正月元日の朝雑煮の餅を祝ふとて箸を取初るより其年の大晦日の夕に至る迄日々夜々死を常に心にあつるを以本意の第一とは仕るにて候。

三島の行った行為（三島事件）とは、武士の嗜みである暗愚な主君（国民）に仕える家老が、お家（国家）存続のために諌死したのであって、決してアメリカ人の言うような「理解越すハラキリ」などではない。それはストークス氏も言うように「自らの命を捨てて訴えた、三島の思いは、軽々に批判することはできない」ものである。

しかしそれが理解できぬ戦後日本とは、まさに墓場である。それはチェンバレンの言った「古い日本は死んだのである。亡骸を処理する作法はただ一つ、それを埋葬することである。……このささやかな本は、いわば、その墓碑銘たらんとするもので、亡くなった人の多くの非凡な美徳のみならず、また彼の弱点をも記録するものである」。

これは蛇足になるかもしれぬが、あえて私の平和観を述べておく。なぜ蛇足かと言えば、戦後の日本人の脳味噌には愕然とするほど、なにも詰まっていないからである。

なぜなら、すでに述べたように「我」（意識）とは、「肉体のなかに住む『本来のおのれ』」に支配されており、その「本来のおのれ」が戦後の日本人は、「村」人猿マネ、空っぽ頭だからである。つまり「考える」ことのできぬ頭で、いくら「考え」ても無駄だということである。

かって戦後日本の平和国家観として、スイスの永世中立国がモデルになったことがある。が、これは言うまでもなく「逃げ走る」「村」人の空っぽ頭を歴史的古層に持つ日本人の猿マネ非武装中立論に基づくものであったから、敢えなく頓挫したのは言うまでもない。

それはすでに述べた大江氏の「中国や朝鮮半島の人民たちと協力して、自衛隊の全廃を目指さねばならない」（一九九五年）が、EU（ヨーロッパ連合、一九九三年）の猿マネであったのと同じである。そしてそうした頭が日本人をして、日本国憲法にしがみつかせるのである。

そこでスイスがなぜ永世中立国として成り立っているのかについて述べておく。

日本人のスイス観は、せいぜい観光、時計、銀行業くらいではないかと思う。スイスが義務兵役制による軍隊を持ち、ヨーロッパ屈指の銃大国であることは、余り知られていない。ただしスイス人の銃に対する価値観は、アメリカ人のそれとは異なる。

アメリカ人にとって銃を持つことは、権利であるが、スイス人にとってはあくまで国防である。あるスイス人女性が射撃訓練後、インタビューアーに「できたら使いたくない」と答えていることからも明らかだろう。

いずれにせよ、スイスに兵役制があり、銃大国であるのは、ヨーロッパが戦争社会であったのと無関係ではない。それはギルバート著『いよいよ歴史戦のカラクリを発信する日本人』の「第四章　外国や国際機関からの内政干渉を排す」における「武力を使わない『情報戦』を制すべし」の項の次の記述と無関係ではない。

一部の日本人が一時期お手本にしようと考えたスイスでは、国民のあいだに、「軍事力によってこそ国の独立は守られる」との意識が染み込んでいます。そしてもう一つ重要なことは、彼らはまた、「戦争は情報戦から始まる」ということをも熟知しているのです。その証拠に、スイス政府は冷戦時代に『民間防衛』という本を作成し、一般家庭に配布しました。

これは今日、日本語訳も出ていますので、ぜひお読みいただきたいのですが、そこに書かれている「武力を使わない情報戦争」の手順を読むと、戦慄を覚えます。

第1段階　工作員を政府中枢に送り込む。
第2段階　宣伝工作。メディアを掌握《しょうあく》し、大衆の意識を操作する。
第3段階　教育現場に入り込み、国民の「国家意識」を破壊する。
第4段階　抵抗意志を徐々に破壊し、「平和」や「人類愛」をプロパガンダに利用する。
第5段階　テレビなどの宣伝メディアを利用し、「自分で考える力」を国民から奪っていく。

最終段階　ターゲット国の民衆が無抵抗で腑抜けになったとき、大量植民で国を乗っ取る。

これが、第三国を攻撃する前の段階で敵によって行われる活動です。この段階を一つひとつ読んでいきますと、あたかも日本の状況を知ったうえで書いたものではないかと勘違いしそうになります。……

しかしこれだけで、ヨーロッパにおいて永世中立国を宣言し、それが成り立つとは思えぬことは、武士の知恵（「考える」能力）を持つ者なら分かるはずである。

たとえばナチスを嫌ったドイツ人が隣国・スイスに亡命している事実である。永世中立国の看板を掲げたからといって、そんなものはヨーロッパではなんの役にも立たない。仮にナチス・ドイツが侵略しようと思えば、その程度の防衛力では簡単に破れたはずである。にも拘らず、スイスは第二次世界大戦において、無傷でいられたのである。なぜか？

その理由は、あくまで推測であるが、スイスの銀行業にあると思う。スイスの銀行は極めて守秘義務が強く、そのことによって外国からの資金が流入したことである。それは白い金も、黒い金も区別せず、強い守秘義務によって守られていた、ということである。すなわち、ナチス（ヒトラー）の金も流入していたからスイスは無傷でいられた、つまりスイスの銀行業とは安全保障でもあった、ということである。その意味では、言い方は下品になるかもしれぬが、ヒトラーは文字通り、金玉を握られていたのである。金玉を握るとは、政治は現生《げんなま》で動くということである。

日本人に分かっていないのは、戦後日本が平和だったのは、日本国憲法などなんの関係もなく、たまたま経済的大国になれたからであり、その経済力（金）をアメリカ軍によって（むろんアメリカの利益でもあったから）守られていたから平和でいられた、という事実である。

そのことは第一次世界大戦の戦後処理の失敗とは、ドイツ国民から現生を奪ってしまったから、それを求める大衆の欲望の下に、ナチスという権力（軍事力）が生まれた、ということである。そしてその第一のターゲットがユダヤ人だったのである。それをファシズムがどうのこうのと言っている学者を見ていると、「あんた、頭がちょっと変なんじゃないの」と言いたくなる。

そのことは、政治の本質は民主制であるとか、共産制であるとかよりも現生の問題だ、ということである。それは今日の共産主義国中国が、あれほどの監視社会であっても、国民の多くが文句を言わぬのは、現生を与えているからである。それが尽きた時が中国共産党の終わりであることをよく知っている政府であればこそ、彼らにあのような政治手法を取らせるのである。そしてアメリカ等の西洋諸国が、中国共産党を嫌いながらも、文字通りどうにもならぬのは、まさに経済的に金玉を握られているからである。その証拠であるかのように、中国政府は自国発の新型コロナ・ウイルスを平気でアメリカ軍の所為《せい》に転嫁することができるのである。

ちなみに日本国民は、大東亜戦争敗戦によって、アメリカに去勢され、ただ残された勤勉に働く能力で「経済的繁栄にうつつを抜かし、国の大本を忘れ、国民の精神を失」ってしまっているから、どうしようもない。その意味では中国国民にしろ、日本国民にしろ、その大多数がギルバート氏の挙げた「戦力を使わない情報戦」によって、「自分で考える力」を奪われていることでは、似たようなものである。

以上が、スイスに永世中立国が成り立っている理由であるが、戦後の日本人は「逃げ走る」「村」人の歴史的古層しか持たぬから「平和」がどういうものかが本質的に分からない。その意味するところは、戦後「民主主義ごっこ」をやっている日本人の生命、財産を、政府は決して守らない、ということである。なぜなら、日本「村」人という社会責任放棄人間が選ぶ政治家も、国家責任放棄人間だからである。

そのことを承知で日本人が、「平和ごっこ」をやっているのなら、それはそれで構わない。だがその事実は、仮に戦争で自衛隊員が死のうが、日本「村」人にとっては、単に憲法違反者が勝手に戦争をし、勝手に死んだだけのこととしか理解しない、ということである。それは『葉隠』の「犬死」にも値しない。戦後の日本人とは、そうした人種だということを自衛隊員は肝に銘じておくべきである。そしてそのことは、自衛隊員は社会責任放棄国民に選ばれた無責任政治家によって、武士のマネ事をさせられている、ということである。それはまた、朝日新聞、丸山等に見られるように、戦前においては軍国支配者に媚《こ》び諂《へつら》い、戦後はアメリカにゴマを摩る空っぽ頭知識人によって成っている、ということである。だから戦前、国家のために戦い、命を落とした無垢で、なんの罪もない旧日本軍兵士を、平気で悪者に捏ち上げ、恬《てん》として恥じぬのが日本の「すくたるるもの」知識人であり、それを支持するのが日本愚国民である。そのことは、仮に自衛隊が戦っても、大東亜戦争の二の舞として「間違った戦争」にされ、悪者にされるだけだ、ということである。

それはかっての士農工商時代における、幕末の志士の死は農工商にとって、なんの関係もなかったという歴史的古層を、彼らが今もなお生きているということである。

それを三島は誤って自衛隊員に武士を見、三島事件を起こしたのである。だから彼は檄文で、次のように言ったのである。

我々楯の会は、自衛隊を父とも兄とも思ってきたのに、なぜこのような忘恩的行動をあえてしたか。それは、我々が自衛隊を愛するがゆえだ。自衛隊には真の日本の魂が残されている。

我々は、自衛隊が戦後日本の指導者によって利用されるのを見てきた。自衛隊は、自らの存在を否定する平和憲法を守るという屈辱の軍隊になり下った。

そして戦後やたらと、「平和、平和」と唱える国家意識のない「村」人知識人は――彼らはその平和観ゆえ尊敬され、小金を貯めているから――もし戦争になったら、一身の平和のためにさっさと外国に「逃げ走り」、そこで立派な家に住み、上等な牛肉を貪り、出家（国家を出る）による平和の中で、愚かな日本人を嘲笑うだろう。

福沢も言うように、彼らの平和観は「主人」のそれではなく、あくまで「逃げ走る」「客分」のそれであるから、その「客分」が「主人」のように戦うことはない。つまりこの国の知識階層は『葉隠』の言う「学問者は才智弁口にて、本体の臆病、欲心などを仕かくすものなり」なのである。

尤もこの国はもう死んでいる。死人の国は愛せない。チェンバレンの言葉を再度引用する。

古い日本は死んだのである。亡骸を処理する作法はただ一つ、それを埋葬することである。……このささやかなる本は、いわば、その墓碑銘たらんとするもので、亡くなった人の多くの非凡な美徳のみならず、また彼の弱点をも記録するものである。

＊

ここから以下の部分は脱稿後、新型コロナの蔓延下で私の中に生じた思考である。重要と思われるので挿入する。

まず私の頭に生じたのは、このコロナ禍における自粛要請レベルの「緊急事態宣言」の発出である。世界にこんな法的拘束力のない発出は、有り得ぬことである。そしてそれに一定の効果があったということは、日本が法治国家でないことの証である。

それは日本がいまだ歴史的古層において、江戸時代の徳治政治の支配の下にある、ということである。つまり「村」社会道徳価値観である「空気」の圧力の社会、および「損」をする徳の思想の中を生きている、ということである。

日本人が古代より「私たち」の「損」をする徳の社会で、「和」の「空気」の中を生きてきたことは、すでに「民のかまど」で述べた。

それはその後の、武士による封建制社会においてもそれほど変わらなかった。その点を日本人は、ヨーロッパの封建制社会（そしてその後の絶対王政を含めた、それ）と日本のそれとの違いが本質的に分かっていない。それはヨーロッパが戦争（侵略）社会であり、苛斂誅求が可能であったのに対し、日本の封建制社会における武士は、あくまで「村」人に食わせてもらっていたことによって、成り立っていたことである。そのことが日本に「私」に基づく革命が起こらなかった理由である。

日本の封建制社会における格差は酷かった、という人もいるかもしれない。たとえば徳川家（幕府）にしても、あんな馬鹿でかく、壮麗な城に住む必要はなかった、というかもしれない。しかしもし仮にぼろ城に住んでいたら、諸大名は見くびり戦乱になっていただろう。つまり権力とは、それを見せつけてこそ権力なのであって、そのためには金がかかる、ということである。

当時の「村」人は、大名を羨ましいとは思わなかっただろう。豪邸に住み、立派な庭を持っていたとしても、彼らは所詮、政務、学問、仕来り（切腹など）の毎日という、鬱陶しい籠《かご》の鳥生活であって、外出時も駕籠《かご》の中である。自由気ままに出歩けぬ大名にとって、こうした金のかかる生活がせめてもの気晴らしだったのである。

それに比べて「村」人（特に農民）は貧しかったが、自由、平等、人権はそれなりにあった。しかも自然、人々の中での「和」があった。ただ飢饉に陥ったときだけ、一揆を起こせばいいだけで、彼らの頭の中には革命の「か」の字もなかったはずである。

大名の暮しがどんなものであったかは、落語『目黒の秋刀魚《さんま》』がヒントになるかもしれない。

それはある殿様が鷹狩りの途中、目黒の農家で食べた秋刀魚の味が忘れられず、後日、家臣にそれを作らせたところ、蒸して脂の抜け落ちた食べられる代物ではなかった、という話である。このことからも、「村」人が大名に羨望など抱いていなかったことが分かろう。

このことは江戸時代、形式的には身分社会だったが、その格差に「村」人は不自由、不平等、非人権など感じていなかった、ということである。むしろそれらを感じていたのは武士の方であって、福沢などはそれを「門閥制度は親の敵《かたき》」（『福翁自伝』）とまで言っている。だから明治維新は革命にならなかったのである。むしろ関ヶ原の仇討の観とさえ見える。

福沢は当時の黒船による国難にあって、文明開化論者ではあったが、それはあくまで「一国独立」のための手段であって、彼の真意は尊王攘夷であった。それ故であると思われるが、彼には自分の母親の価値に目を向けるだけの余裕がなかった。

『福翁自伝』に次のような記述がある。

それは彼の母親が、彼にも手伝わせて、馬鹿のようで、汚く臭《くさ》い虱《しらみ》だらけの乞食女の虱を取ってやることを楽しみにし、あげくに取らせてくれた褒美に飯まで食わせてやる、という話である。それが福沢にとっては「私は汚《きた》くて〳〵堪《たま》らぬ。今思い出しても胸が悪いようです」だったのである。

少なくとも彼の母親は武家であり、乞食女は最下層の身分にも入らぬ者である。こんなことは西洋においては、せいぜい聖人が虱を取ってやるくらいで、それを楽しみにし、褒美に飯を食わせてやるなど、馬鹿を通り越して狂気の沙汰である。

そうした人間が、日本には「民のかまど」以来、延々と続いてきたのである。そうであれば、キリスト教の表看板である隣人愛に引かれる日本人はまずおるまい。むしろその裏看板である死に立ち向かわばならぬ武士が、それの持つ戦争宗教としての面に引かれて入信したくらいである。

さらに言えば、今日、福沢のような人間は存在しなくなってしまった。なぜなら学問のある人間の多くに、私欲はあっても、士風としての公欲を失ってしまったからである。

そして福沢の母親のような人間も、極めて稀になってしまった。それはある意味、福沢になるのと同じくらい難しいことだからである。なぜなら今日、日本の資本主義＝民主主義社会において、「私」を貴ぶ人はいても、そこに一切の「私欲」を交えぬというのは、極めて困難なことだからである。

そうであれば、西洋思想の下らなさは、その歴史的古層が資本主義を生み出したように、私欲から成り立っていることである。従っていくら、社会主義、共産主義を唱えようとも、そこに損得勘定が入ればそんなものは成り立つはずがない。つまりそれらは福沢の母親のような人間がいて、初めて成り立つものだ、ということが彼らには分からない。

そのことは西洋思想の「私は考える」とは、「得《とく》」するための思想法だということである。福沢の母親の徳が示すような、損得勘定の入らぬ無智というものを、彼らは知らぬのである。

それは西洋人の損得勘定の入った頭は、寄付行為のようなものでさえ、慈善と偽善とから成り立ちざるを得ぬことになる。たとえば寄付金に対する税額控除である。つまり寄付にも利子が付くということである。

斯《か》くして今日の日本から士風は失われ、徳も学問の世界から追放されるに至った。

しかしそうした歴史的古層を持っていたことが、このコロナ禍において、医療体制が万全でなかったにも拘らず、死者数が少なかったことの一因ではなかったか、と思う。

いずれにしても、日本においては「民のかまど」以来、自由、平等、人権といった概念（歴史的古層）は、当たり前すぎてまったく発達しなかった。ただ大東亜戦争において、それまで平和ボケの中で暮らしてきた「村」人にとって、戦後、若干それらの概念が萌芽したに過ぎない。

ところで福沢は『学問のすゝめ』で次のように言う。

天は人の上に人を造らず人の下に人を造らずと言えり。されば天より人を生ずるには、万人は万人皆同じ位にして、生れながら貴賤《きせん》上下の差別なく、……人学ばざれば智なし、智なき者は愚人なりとあり。されば賢人と愚人との別は、学ぶと学ばざるとに由《よ》って出来《いでく》るものなり。

福沢の学問のすゝめは、あくまで「一国独立」のためのものであって、「私欲」のためのものではない。しかし資本主義という、主人と奴隷との経済思想は、基本的に「私欲」のものであり、たとえ学問を国家のためにしても、そこにはそれ以上の私欲が入ってくる。従って当然、そこには経済的格差が生じる。

だが福沢には、まだ資本主義の本質が分かっていなかった。なぜなら資本主義的価値観から見れば、彼の母親は「智なき愚人」に外ならぬことになるからである。

資本主義においては、彼の母親は乞食女から虱を取ってやる代りに金銭を受け取るべきであり（ないしは係わらない）、また飯を食わせたことに対しても同様にすべきだったのである。

日本は「民のかまど」以来、聖人だらけの国だったのである。

戦後日本人の西洋猿マネ空っぽ頭は、ボランティア活動を——そんなものが日本にあったことも認識できず——人助けをする善《よ》いことだと思い違《たが》えてしまった。福沢の母親には、そうした自覚もなく、ただそれを楽しみとし、それに褒美を与えるような無智は、日本人から失われてしまった。

戦後の日本人は、自らの歴史的古層にある道徳価値観をまったく自覚できず、それが外国に誤解を与えることにさえなる。さらにまた福沢の持っていた武士道に由来する「智」を持てなくなったことである。彼にその自覚はなかったが、彼は武士であり歴史的古層にその「智」を持っていたから『脱亜論』のような著作が書けたのである。「村」人がいくら「学問」をしたからといって『脱亜論』は書けない。

そして福沢の母親の持っていたものは、日本人が古来もっていた損得勘定のない（ある意味無智な）無常観に繋がるものである。無常観というより無常感と言った方がいいかもしれない。

これはたとえば禅僧・良寛なども持っていたものである。彼の逸話に次のようなものがある。

彼は銭（金）を拾うことは嬉しいことだという話を聞き、袂《たもと》にあった銭を取り出し、道端に抛り投げ、拾ったのである。何度やってもそれに彼は嬉しさを覚えなかった。

彼には銭に価値のあることが分からなかったのである。それは福沢の母親と同じであって、虱を取ってやることが銭になる、という価値観を持っていなかったのである。

しかし彼らは福沢の言うような愚人ではなかった。ただ彼のような国家観を持っていなかっただけのことである。しかし大東亜戦争敗戦後、彼らの良質の徳は、国際社会の中にあって「村」人政治家、知識人等の「智なき者は愚人」と化していくのである。

幕末・明治初期の日本人はこんな有様であったから、既述の『逝きし世の面影』で、チェンバレンは「古い日本は妖精の棲む小さくてかわいらしい不思議の国であった」と言い、またヒュースケンは「そしてどこにも悲惨なものを見いだすことができなかった私は、おお、神よ、この幸福な情景がいまや終わりを迎えようとしており、西洋の人々が彼らの重大な悪徳をもちこもうとしているように思われてならない」と言った。この「重大な悪徳」とは、資本主義的私欲のことに外ならない。そして彼らの多くが予言したように、そこから日本の死という悲劇が始まるのである。

まず西洋をマネせねばならなかった武士は、自らの武士道の価値を自覚できず（福沢にしても）、軍制において士族を廃し、徴兵制に走ったのである。「村」人が武士道教育もなく、軍人（武士）になれるわけがない、ということが分からなかった。その徴兵制に対し「村」人から少なからず反発も出たが、彼らの歴史的古層にある無常感から来る「あきらめ」と、「考える」能力を持たなかったが故に、ほとんど問題にならなかった。

当時、「村」人の意識は、一つには、「村」社会道徳的「空気」の圧力下にあったこと、二つには、「和」の社会であったから「損」をすることを当然とする無智に彼らがあったこと、三つには、この世を夢幻《ゆめまぼろし》と見る無常感があったこと、である。

さらに無常感について言えば、島国に住み戦うことをしなかった「村」人は、その生活の中での日常的死を「あきらめ」として受け入れていたことである。それはヨーロッパ戦争社会における侵略、略奪の中での愛国的死とはまったく異質なものであった。

ギルバート氏が、大東亜戦争における日本兵が「強靱さ、気高さ」を持って戦ったことに愛国心を見たのは、以上のような理由による誤解である。それが証拠に連合国の捕虜になった日本兵が、自国の軍陣を平気でぺらぺら喋ることに、当時のアメリカ兵通訳が理解に苦しんだ、という記事を読んだ記憶がある。

たしかに私も、神風特別攻撃隊員が出撃するときのパイロットの無表情な気高さとでも言うべきものに、長い間、なにか理解できぬものを感じていた。彼らが武士であるならともかく、「村」人からの徴兵志願兵である。なぜ彼らは、一〇〇パーセントの死を前に、斯《か》くも凛《りん》としていられるのかと。そしてそれがすでに述べてきた理由によると、ようやく理解するに至った。

ところがそれが、戦後になると彼らに対する差別視が起こったのである。これは靖国神社にも言えることである。少なくとも、彼らは国家のために命を賭けて戦った英雄的存在である。こんな馬鹿なことは、少なくとも武士の世界では有り得ない。

これは朧げな記憶で書くのだが、どこかの寺に血塗り天井というものがある。これは家康の下臣の一人が、死を覚悟し、言わば特攻精神で家康のために城を守り討死した、その血塗《ちまみ》れの床を、その下臣の栄誉を称え忘れまいとして、天井に張り付けたものである。戦後の日本人には、完全に誇り、名誉といったものがない。それは丸山、朝日新聞、大江氏

（氏には戦争体験はないが）に代表される戦後日本人の豹変振りに示されている。なぜそうなったのか？

その答えはただ一つ。それは連合国から教えられた、それまでの日本人の無常観を否定した「死は損、生は得」であり、それは「逃げ走る」「村」人の本質であるから、「戦争に係わる死はすべて悪だ」という思考に行き着くことになった。しかも「考える」能力ゼロだから簡単に洗脳され、特攻隊、靖国は否定され、原爆投下さえ「過ちは繰返しませぬから」と、広島市民の死をも悪にしてしまったのである。

私はこの「過ち」を犯した者の主語が――アメリカでも（彼らが書いた碑文ではないから）、日本でもない以上――どこにあるのか、長い間分からなかったが、それが死者にあったとは、日本人とはつくづく「智なき者は愚人なり」と思わざるを得ない。それが良い方に働けば、福沢の母親のようになるが、それを判断する「智」そのものがもはや日本人にはない。

もうそうなれば、戦後の日本が国家の体を成さぬ支離滅裂なものになってしまったのは当然である。

大東亜戦争は「間違った戦争」になり、二〇万人の朝鮮人従軍慰安婦強制連行はロクに情報も取らずに報道され（なぜなら悪に決まっているのだからその必要もなく）、また『沖縄ノート』における旧日本軍（同様に悪だから）の集団自決命令は、大江氏の無智な捏造の創作物となり、さらにまた、岸首相の国家意識に基づく新日米安保条約批准に国民が、その内容もロクに知らず、六〇年安保闘争として反対したのは、まさに死から「逃げ走る」「村」人の集団ヒステリーに外ならなかった。彼らの中には多少学んだ者もいただろうが、しかしそれは「村」人の暗記鸚鵡的知識であって、国家に対する「智」（福沢のような士風）がなかったが故に、愚人のそれとなったのである。

　それは結果的に言えば、弱者の弱い者いじめである。なぜならそれらを戦前にやっていれば価値あるものだったかもしれぬが、戦後になってやるということは、弱体化、無害化したものへの非難（いじめ）でしかない。

　山本七平がどこかで書いていたが、戦前、日本軍内にいじめがあったそうだが、それをやったのはほとんどがインテリだったと。それがインテリ「村」人の本質である。そしてそれがいわゆる、無智な弱者への弱い者いじめである自虐史観である。つまり「村」人の「逃げ走る」歴史的古層は、「考える」能力ゼロであり、また国家意識もなく、ただ「戦争に係わる死はすべて悪だ」という思考も論理もない、死からの逃避集団ヒステリーによって起こったものである。

たとえば従軍慰安婦の記事を書いた記者が、人間の宿命である死を真正面から見るだけの勇気があれば、自分の記事の内容がどんなものであったか、分かったはずである。

つまり戦場にいる兵士の頭にあるのは、明日をも知れぬ死への恐怖であり、そんな心境にある人間に慰安婦狩りなどやる心の余裕があるか、ということである。

彼はただ机上で「戦争ごっこ」という悪に、「慰安婦狩りごっこ」を付け加えて、金儲けに走る「村」人の知能しか持っていなかったのである。そしてそんな朝日に対し、二十年間も立ち向かった反朝日も似たようなものである。もし西郷が生きていたら匕首《あいくち》一振りで片をつけただろ。所詮「暗殺だけは、きらいだ」のインテリ頭は駄目だ、ということである。それは朝日新聞に限らず、「逃げ走る」ことによって生き延びてきた「村」人の歴史的古層には、「考える」能力はまったく育たなかった、ということである。

「考える」能力は、死を真正面から見つめるところに生まれる。プラトンは「哲学は死に対する準備だ」と言った。それは古代ギリシャが戦争社会であり、市民は死を真正面から見据えなければならぬ運命にあった。そしてそれに向き合うため、彼はイデアという永遠不変の価値から成る思想を生み出した。つまりそれは、死は真正面からは見れぬものだ、ということである。

日本でそうした哲学を行ったのは西田だったが、彼はついに西洋の「有」の思想を理解することなく、「無」のそれに行き着き、「哲学の動機は『驚き』ではなくして深い人生の悲哀でなければならない」と考えるに至った。彼の哲学は、死に対する——彼は多くの肉親の死に立ち合っている——深い無常観に根差すものだと私は考える。

さらに古代ギリシャにおいては、戦争に勝つために政治学なる学問を生み出すに至った。そしてそこから民主主義が生まれたのだが、それは実際、行われることによって、衆愚政治として極めて低い評価しか与えられなかった。そしてそれは近代民主主義においても、ワイマール共和国からヒトラーが生み出されることによって、その衆愚性は証明された。しかし当然かもしれぬが、日本人には民主主義の持つ衆愚性が分かるような者はほとんどいなかった。

民主主義とは、戦う市民が統治者を選挙によって選び、その「統治者が市民に向って『お前の死ぬことが国家に役立つのだ』というとき、市民は死なねばならぬ」ような思想だ、ということである。そしてその戦いにおける死に向き合うために、古代ギリシャにイデアが生まれたように、近代民主国家においてもキリスト教が必要不可欠なものになった。そして日本においてこれに当たるのが武士道である。

そうであれば、戦うことを拒否する「村」人よりなる日本は民主国家でもなんでもない。そも国家ですらない。

いずれにせよ、イデア、キリスト教がそうであるように、死を真正面で捉えぬ限り「考える」という能力は生まれない。日本でそれができたのは武士だけである。

それは進化の原理と同じである。生命は生存競争の中にあって、生き延びる（死から逃れる）ために身体を変異させることによって生き延びてきたことは、思想進化においても同様だということである。つまり「逃げ走る」「村」人の思考は、思想退化（ペット化）に外ならない。

以上のように、「考える」（思想進化）とは、死を見つめることによって生まれる性質のものであって、朝日新聞に限らず、戦後の日本人はただ死から「逃げ走る」だけだから、一切「考える」ことができず、ただ西洋を猿マネし暗記鸚鵡化することが「考える」ことだと思ってしまった。むろんそれにも一理はある。金になるからである。しかしそれは思想進化（歴史、伝統、文化）とは、まったく無縁のものである。だから戦後日本から日本がなくなるという、まったく異常な世界が現出したのである。

その上、「村」人は「逃げ走る」ことをモットーとしているから、国家というものが分からない。

かつて英国の香港《ほんこん》返還に際して、パッテン総督が日本記者団と会見した折、記者団からアヘン戦争以来、一五〇年以上にわたる中国領土に対する植民地支配に対し、謝罪はしないのかという馬鹿な質問をした記者がいた。

もっとも戦後日本とは、この馬鹿さ加減が自覚できぬ国民の上に成り立っている。馬鹿の救いようのなさは、自分が馬鹿だという自覚ができぬところにある。

当然、総督はこの質問を歯牙にもかけなかった。なぜなら世界の誰もが、国家とは暴力組織の美称だということを知っているからである。戦後の「村」人から構成されている日本人だけが、それが分からない。つまりこの記者は、覚醒剤の売人に対して謝罪はしないのか、と聞いていることの自覚がない、ということである。

それはたとえば、キリスト教徒である曾野綾子氏が『ある神話の背景』で「そして今もなお戦争ではなく、軍隊の存在そのものが悪であるという考え方ができるのは、世界で日本だけかもしれない」と言う根拠もそこにある。

「村」人には世界の常識がないのである。世界に日本国憲法が平和憲法だ、などと言って喜んでいるのは、日本人くらいだということが分からない。つまり世界から見れば、日本人の頭は完全に変（妖精の頭）なのである。それは日本人がいまだに、世界には正義と悪とが存在し、最後に悪は正義によって亡ぼされるという、少年マンガ的世界を生きている、ということである。今は江戸時代ではない、ということが歴史的古層において「村」人日本人には分からない。

それは人間が価値の拡大の世界を生きる存在であり、その拡大のためならなんでもする生き物だ、ということが理解できぬということである。つまりアメリカの原爆投下は善であり、ナチスのホロコーストは悪である、あるいはアメリカが原爆を持つのは善であり、北朝鮮がそれを持つのは悪である、というのは単なる情報操作の結果であり、ヒトはそうした情報操作という嘘（虚構）の世界を生きているのである。それはすなわち、ヒトは生まれたときからすでに、両親、学校、社会慣習、書物等によって情報操作（洗脳）されて生きる虚構（嘘）の存在だ、ということである。

そういうことを日本人は理解できぬから、すでに挙げたギルバート氏がスイス政府の

『民間防衛』に関して「あたかも日本の状況を知ったうえで書いたものではないかと勘違いしそうになります」ということになるのである。

むろん氏の言ってることは結果的にはそうであるが、私の言ってきた内容とはかなり違う。敢えて繰り返せば、それまで日本人が持っていた死生観（無常観）が、敗戦によって「生は得」という思想が入ってくることによって一挙に崩れ、「戦争に係わる死はすべて悪」になってしまったのである。だから三島事件などまったく理解できない。しかも歴史的古層に、「考える」能力も、国家意識もない「村」人だから、「戦争に係わる死をすべて悪」とする思考が、自虐史観を生み出すことになったのも自然である。それが戦後日本の現実であれば、愛国心など生まれるわけがない。

日本人の歴史的古層が、それほど西洋人のそれと異なれば、戦前における植民地政策においても、日本人は西洋人のそれをマネはしても、本質的にはまったく理解できなかった。すなわち西洋の植民地政策は、奴隷制が示すように単なる苛斂誅求であって、被植民者はモノであるに過ぎなかったのに対し、日本人にはそうした歴史的古層はなかったから、そこに差別はあったにしてもあくまで人間として扱った。だから戦前、台湾も朝鮮も親日であり、それは大東亜戦争敗戦後、彼らからB・C級戦犯が出ていることからも明らかだろう。そして台湾が戦後も親日であるのは、彼らの歴史的古層が単純であったのに対し、韓国が反日に変わったのは、彼らがその地政学的理由によって、極めて複雑な歴史的古層を持つに至ったことと深く関係している。一言でいえば弱者の劣等感に基づくものである。

それは今日においても、中国、アメリカ、北朝鮮、日本とによる股裂き状態にあることを考えれば分かるだろう。それに今日の韓国の繁栄がアメリカ（朝鮮戦争）、日本（日韓基本条約による経済援助）によるものであるにも拘らず、思想・心情的には中国、北朝鮮に傾いていることからも明らかだろう。

アメリカが朝鮮戦争に参戦したのは、あくまで反共からであるが、日本の日韓基本条約の対日賠償請求として無償3億ドル、有償2億ドルの協定は、まったく日本人の無智によるものである。なぜなら日本は韓国と戦争をした訳ではないのだから。

しかも今日も問題になっている竹島の発端を作ったのは、日本の敗戦のどさくさに紛れて、韓国が一方的に設けた李承晩ラインである。そんな国にどうして経済援助などしてやる必要があったのか？

多分、韓国人は日本の政治家および国民を馬鹿だと――それが中華思想の本質的物の見方だが――見積っただろう。それに対し、戦後の日本「村」人政治家は、「損」をすれば「和」が図れると思って、そんな愚かな条約を結んだのだと思う。

それに朝鮮を植民地化したからと言って、日本は経済的に少しも得をしていない。むしろ持ち出しである。それは台湾を植民地化したにも拘らず、いまだに親日であることからも明らかだろう。

たとえば戦前、日本に朝鮮人がやって来たのは、なにも奴隷船で拉致してきたわけではなく、金になったから彼らの方からやって来たのである。たしかにそこに差別は生じたが、それは見た目は同じだが、訳の分からぬ言語を喋る集団が現れれば、もともとほぼ単一民族で暮らしてきた経験しか持たぬ日本人にとって恐怖を引き起こしたのは当然だろう。そして同様に、朝鮮人慰安婦にしても金になったから、斡旋業者を介して旧日本軍に近づいただけの話である。

それは日本においても戦後、金のためにアメリカ兵相手のパン・パン、オンリーになった女性は少なからずいる。それに対しアメリカを批判せず、旧日本軍という無害な弱者を非難する弱い者いじめ新聞など読むに値するだろうか？

それに朝鮮歴代の王に、日本の天皇のような「民のかまど」のようなことをした者がいたか、あるいは下級であっても両班《やんばん》の妻が、福沢の母親がしたようなことをした者がいたか？

私は人間の価値を、その人物がいかに御立派なことを言うかではなく、なにをしたかで評価する。

さらに福沢にしても朝鮮人に期待していた位である。しかしそれが見事に裏切られたから、彼は『脱亜論』を書かねばならなかったのである。

それが武士であるのに対し、戦後は政治家に限らず、日本人は「村」人から成る空っぽ間抜け頭だから、日韓関係はこじれたのである。

その発端が朝日新聞であり、それに乗せられた政治家の代表が、「お詫びと反省」とから成る『河野談話』である。一国の政治家がこんな馬鹿げた謝罪談話を述べるなど、世界では有り得ぬことである。これで韓国は完全に日本を馬鹿にし、見くびり始めたのである。つまり日本にいいちゃもんをつければ金になると。

ところが日本のインテリは馬鹿だから、話せば分かりあえると思っている。馬鹿の欠点は、自分が馬鹿だと自覚できぬことである。たとえば朝日対反朝日のように。つまり戦後、武士のいなくなった「村」人だけの日本人は、国家が単なる暴力組織（暴力団と同じ）だということが分からない。もはや日本には匕首一振りで片を付けるという思想がないのである。それが三島事件が理解できぬ理由である。

その意味することとは、日韓関係をよくするためには、韓国のもっとも嫌がることをすればいいのである。国家間の関係とはそうしたものなのだが——武士はそれをよく理解していたが——戦後の「村」人政治家にはそれが分からない。彼らのもっとも嫌がることをすれば、彼らも交渉のテーブルに着かざるを得ぬだろう、ということが。

その一例が、韓国をホワイト国から除外したことである。正直、韓国は驚いただろう。あの馬鹿な日本人が、まさかこんな手を打ってくるとは。彼らはそう思っただろうが、残念ながら、日本の当事者にそれだけの知恵があったようには見えない。

この日本「村」人体質は、北朝鮮による拉致被害者家族に対する同情も同じである。彼らは、同情はタダだから幾らでもするが、責任も感じなければ、取ろうともしない。

それは戦後の日本人には国家意識がないから、スパイ防止法のような法律に基づく日本版ＣＩＡのようなものを作ろうともしなかった、そして今も作ろうとしない。

さらに北朝鮮が拉致などするわけがない、と言っていた政治家等が、それが明らかになっても平然とし、国民もそれに対しほとんど糾弾しなかったことである。江戸時代なら切腹である。

戦後の士を欠いた「村」人（農工商）による民主主義はまったくの破綻である。学問もただの私利のための暗記鸚鵡化してしまっている。少なくとも私にとって学問とは、福沢の母親のような徳ある人間を作ること、また福沢のような「一身独立して一国独立する事」のためにすることだと思っている。そのためには、この国での民主主義は最悪であり、『新論』の言うところの「士風を興すことなり、奢靡を禁ずることなり、万民を安んずることなり、賢才を挙ぐることなり」でなければならぬと思うが、戦後の日本にはそのどれ一つもない。むしろ三島の言う「経済的繁栄にうつつを抜かし、国の大本を忘れ、国民の精神を失」った社会である。

たとえばギルバート氏が『いよいよ歴史戦のカラクリを発信する日本人』で書いている「丹羽宇一郎元中国大使の仰天発言」での、小説家・深田氏との対談における次のような発言である。

丹羽氏　「将来は大中華圏の時代が到来します」

深田氏「すると日本の立場はどうなりますか」
丹羽氏「日本は中国の属国として生きていけばいいのです」
深田氏「日本は中国の属国にならなくちゃならないんですか」
丹羽氏「それが日本が幸福かつ安全に生きる道です」

私はこれを読んでも少しも「仰天」しなかった。なぜならこれが日本人の本音だからである。つまり国家なんていらないと。

日本人は口先では民主主義と言うが、それを理解する能力はまったくないから、アメリカ製憲法を改め自ら日本国憲法を作る気など少しもない。それに九条には「戦争の放棄」があり、その憲法下にある限り「生は得」の「逃げ走る」「客分」でいられる、と思っているから。

話はちょっと逸れるが、新型コロナに関して言えば、それが日本において法的拘束力のない「緊急事態宣言」にも拘わらず、日本人の死者数が少なかったのは（ファクターXといわれるものは）九条同様に、日本人の死への異常な恐怖心からではないか、と思う。それは「自粛警察」なるものが現れたことにも示されている。つまり戦後の日本人には、死に耐えるだけの宗教的価値観（武士道、キリスト教のようなもの）がないのである。そうであれば、愛国心がないのも当然である。

日本人の歴史的古層は士農工商であり、戦後その士が失われ、農工商（「村」人）より成る国民に国家意識（自国は自国民が守るべきものだという常識）はなく、当然、愛国心など微塵もない。しかも「考える」能力ゼロだから米軍が外国の軍隊だ、という認識もできず――武士が駐留しているくらいの感覚しかないのだろう――その事実は、日本が米農工商であることも理解できぬということである。つまりアメリカ支配の下で「村」人は、アメリカに年貢（むろん外形は違うが）を支払い、「民主主義ごっこ」をやり――そうであれば、日本人にとって民主主義は最低なのだが――ただ「経済的繁栄にうつつを抜かす」ことさえできれば、それでいいのである。

つまり丹羽氏の言っていることは、経済的繁栄が得られれば中農工商でもいい（国家なんてなくてもいい）ということである。

氏に限らず、戦後日本人の愚かさは、軍事力なくして国家の繁栄はない、ということが理解できぬことである。それは古代ローマ帝国に始まり、大英帝国、現代のアメリカ帝国にしても然りである。いや、国家とは暴力組織の美称だから、軍事力なくして国家は成り立たぬ、ということさえ分からない。それは現代の北朝鮮を見ていても、そこからなにも読み取れぬ頭だ、ということである。

そして仮に中農工商になれば、かつての香港のように金持ちは外国に「逃げ走り」、インテリは例のごとく豹変してゴマを摩り、その後弱い者いじめに走ることになるだろう。それによって日本民族が、チベット自治区、新疆ウイグル自治区、香港問題を引き起こそうが、そんなことはどうでもいいのである。「幸福かつ安全に生き」られるのは、丹羽氏のような、一部のゴマ摩り金持ち奴隷だけだ、と言うことである。

戦後日本とは、そんな国とも言えぬ国に成り下がってしまったのである。私はそんな亡国の国家を見たくないし、多分、見なくて済むだろう。

私は国籍上は日本人であるが、もはや日本人であることを止め、無国籍者として死ぬことにした。つまり福沢、三島の見た夢を捨てたのである。

日本は昭和二十年八月十五日に消滅したのである。そしてその後の歴史には、訳の分からぬ保護領とも、属国とも知れぬ国のようなものが存在したと記されるだろう。

第四章　愛国心と欲望の資本主義

私はギルバート氏の言う愛国心（アメリカ人のもつ歴史的古層）に全面的に賛同する者ではない。むしろ強い警戒心を抱いている。なぜ警戒心を抱くのかと言えば、アメリカ政府（というより背後の見えざる権力）の、対ジャーナリズムを含む国民への情報操作の巧みさと言うか、ある種の薄気味の悪さである。

薄気味の悪さとは、たとえば独裁国家中国であれば、自国に都合の悪いことは、黒塗りするからすぐに分かる。ところがアメリカ人は、表看板である自由と民主主義という価値観を、自己偽善によって自ら騙し、信じて疑わぬから——彼らは主体が虚構（嘘）だということが分からぬから——彼ら自身が騙されているなど露ほど思わない。つまり「世界は皆からくり人形なり」（『葉隠』）という思想が分からない。すなわちヒトとは何者かに「からくられている」存在であり、ニーチェはその「からくっている」存在を「肉体のなかに住む『本来のおのれ』」と言ったのである。それはギルバート氏の愛国心に対する疑念のない思いにも見て取れる。

そのことは、私から見れば、たとえばヒトラーとF・ルーズヴェルト（トルーマン）とのやったことは、外見こそ違って見えても、その歴史的古層にあるのは、同じ西洋キリスト教文明価値観だということである。両者は共に民主国家が生み出した政治家であり、前者はその自己偽善のもつ演説力によって、愛国心という闘争・群れ本能的価値に基づく、軍事的集団ヒステリーを呼び起こし、後者は経済的失政を軍需景気で取り戻そうと（それを金《かね》にしようと）、日本を罠にかけ追い詰め、真珠湾を攻撃させ、それを「騙し討ち」として愛国心に火を付けたのである。そして前者はユダヤ人という奴隷（モノ）をガス室で殺し、その遺体を焼却したのに対し、後者は日本人という奴隷（モノ）――それはアメリカの奴隷制の歴史からも明らかだろう――を原子爆弾で焼却したに過ぎない。

両者が違って見えるのは、「勝てば官軍」観に基づく情報操作の能力によるものである。私がそうした見方をするのは、武士の思考（『葉隠』）が「盛衰を以て、人の善悪は沙汰されぬ事なり。盛衰は天然の事なり。善悪は人の道なり」の視点に基づくからである。

これは民主国家におけるシビリアン・コントロールがいかに危険か、ということであり、――それは民主主義が、所詮、衆愚政治に外ならず――それを持たなかった武士がいかに賢明だったか、ということである。

それはたとえば、アメリカの大東亜戦争前後における対国民党への支援の有り方が、私には所詮「金になるか否か」の問題でしかなかったからこそ、日本が負け自国が経済復興してしまえば、もはや国民党の利用価値はなくなり、見限ったものと見る。それはそれ以後の、アメリカのある意味不可解な、武士なら決してせぬような戦争（ベトナム、イラク等）、また経済政策（中国共産党に接近したり、喧嘩したり）の全てが物語っているように思われる。

ところで、イギリス、アメリカが帝国化したのに対し、フランス、ドイツが、ナポレオン、ヒトラーといった天才的独裁者を生み出しながら、なぜ帝国化できなかったのか、という問題が私にはある（そこには海洋国家と大陸国家との国民の思考の違い、という問題もあるが、ここでは触れない）。つまり後者が民衆を軍事的集団ヒステリーに陥らせて、ロシア、ソ連に侵攻しても、それは単なる線としてのそれであって、そこから利益を生み出せることはなく、むしろ崩壊に繋がるという知恵がなぜ彼らにはなかったのか、という疑問である。その答えとして、私は自己偽善による軍事的集団ヒステリーに陥った独裁者、および民衆は、あたかも自らがキリストに憑かれた神であるかのような錯覚（これが西洋人の愛国心の本質である）に陥り、帝国化による利益ということが、まったく頭に去来しなかったのではないかと思う。

それに対し、前者にはもともとそうした頭を持つ者（独裁者）を生み出すこともなく、彼らの頭にあったのは「人をいかにうまく騙して殺し、そこから利益を上げるか」という推理小説的頭脳での、面としての侵略であったからだと思う。その典型の一つが、日英同盟に基づく日露戦争である。だから私は馬鹿だと言ったのである。

こうした知恵の違いは、過去においてはローマ帝国とモンゴル帝国とに見られる。


ちなみに余談になるが、西洋人の思考法である「私は考える、故に私はある」を保証しているのは、神（キリスト教）だと言うことは、「私は考える」ことは（虐殺も）「正しく」、「私はある」（「私」の命）は、神の保険によって成り立っているということ、つまり彼らにとって「死は損」であるのを、神による自己偽善という騙しによる保険によって、愛国心に姿を変えているということである。そうした歴史的古層を生きてきた西洋人だからこそ、生命にさえ保険をかけるという発想が生まれたのである。だから金持ちは戦争に行かない。

そのことは、彼らの社会は「私たち」の助け合いのそれではないから、たとえばアメリカ人には「国民皆保険」という発想が生まれぬのである（銃社会の本質もそれである）。

ところで、Ｆ・ルーズヴェルトの「騙し討ち」の謀略とは、それによってアメリカ国民は愛国心に火を付けられ、しなくてもよい戦争をしたということである。つまり権力者（ルーズヴェルト）は、シビリアン・コントロールの下に、アメリカ国民を兵士として間引いてでも、自己の権力を保ちたかったということでは、現代中国の権力者となんら変わらない。そのことは、アメリカ人の強欲な支配者層――民主帝国の見えざる闇の権力と言ってもいい――は、「戦争は金になる」（むろん経済は言うまでもない）という思想を生み出させ、戦後のアメリカ国民は、メディアをも巻き込み愛国心に火を付けられ、意味のない戦争を数多くしてきた、ということである。

そのことに警鐘を鳴らしたのが、アイゼンハワー大統領の「軍産複合体」に対する「民主主義への脅威」に外ならない。彼になぜそのような発想ができたのかと言えば、彼が軍人出身だからである。それは日本の武士が政治と軍事との両面で領国を統治せねばならなかったのと本質的に同じ思想に基づくものである。

私がアメリカに薄気味の悪さを覚えるのは、そうしたところである。

私はアメリカの、自由と民主主義の表看板をほとんど信じていない。それは自由も民主主義もない中国と、経済的に接近したことからも明らかだろう。むしろ「欲望の資本主義」という言い方がされるが、その「欲望」（金になりさえすればいい）が、事実上「アメリカ民主帝国の見えざる闇の権力」として君臨しているように見えるのである。

私にとってその象徴的出来事の一つが、Ｊ・Ｆ・ケネディ大統領暗殺事件である。

多くは述べぬが、動く標的（ケネディ）を遠距離から確実に仕留めることができるのは、超一流のスナイパーの仕業であって、一介の旧軍人・オズワルドが白昼、単独で出来るようなことではない。そしてその後に起こったことを考えれば、そこに「見えざる闇の権力組織」が働いていたと見るのは、そう不自然ではないだろう。さらにそこには、ジャーナリズムも介入出来ぬ力があった、ということである。

アメリカはアイゼンハワーの警鐘にも拘らず、政治と軍需産業とが癒着し、そこから無意味な戦争を多発化させ、権力と富（金）とは堅く結び付き――それは権力への欲望が富から生み出されるということであり――嫌でも軍事帝国化していくことになったのである。

それにシビリアン・コントロールと愛国心とが利用されたのであり、その世界侵略への欲望を、彼らは自称「世界の警察官」で誤魔化そうとしたが、――悪いことに国民の多くもそれを信じきっており――しかしそれは外国から見れば、単なる侵略でしかないから、9・11同時多発テロのようなことが起こるのである。

そうした欲望に群がる狡猾な権力者の頭脳と、推理小説を生み出したそれとは決して別物ではない。しかし彼らにはそうした自己の侵略的頭脳への自省がまったくない。それはある意味、アメリカ人の（ヨーロッパ人も）多くが極めて短絡的頭脳しか持っておらぬ、ということでもある。

その一例として、かってオバマ大統領が「核兵器のない世界」と言ってノーベル平和賞を授与され、その授賞式の記念演説で「正しい戦争はこれからもする」と述べたことである。

彼らが「正しい戦争」という発想をするのは、キリスト教が砂漠から生まれた宗教であり、彼らには二者択一の道しかなかった。餓死するか、戦争（侵略）をし、略奪によって生き延びるかの。当然、彼らは後者を取った。つまり西洋キリスト教文明にとって、戦争は彼らの歴史的古層において善なのである。従ってそこからキリスト教に支えられた愛国心が芽生えることになった。

だがはっきり言ってそのどちらも（賞も演説も）馬鹿げている。「核兵器のない世界」などやって来るわけがないし、また戦争に「正しい」も「間違い」もない（後者については『葉隠』の言っていることの方が正しい）。

なぜ、核兵器のない世界がやって来ぬのかと言えば、西洋キリスト教文明は砂漠から生まれ、そこで生き延びるために侵略することは、つまり「他者を殺すこと」は神に保証された「正しいこと」であり、その「他者を巧みに殺す」ために「私は考える」のが、彼らの文明の本質だということである（その思考法が推理小説と無縁でないのは言うまでもない）。そしてその思考法は、彼らキリスト教による自己偽善によって覆い隠され、従って彼ら自身にもその自覚はできず、それは「肉体のなかに住む『本来のおのれ』」（ニヒリズム）へと下降し歴史的古層化され、彼らの宗教的国民・民族性となったのである。そしてそこから核兵器が生み出されたのであれば、その思考法が歴史的古層にもつ価値を転換し、新しい価値から思想しない限り、核兵器のない世界など、やって来るはずがない。その価値の転換を言い、キリスト教を否定したのがニーチェである。

しかし西洋人の思考法は「私は考える」であり、その「私はある」ことを保証しているのがキリスト教であれば――それがキリスト教のもつ自己偽善性であり、それによって「私」が成り立っているのであれば――そのキリスト教を否定してしまったら、「私」の「在《あ》る」ことができなくなるが故に、彼らには絶対に価値の転換はできない。もし為《し》たらニーチェのように狂うしかない。

アメリカの「欲望の資本主義」は、すでにベンジャミン・フランクリンの「時は金なり」や「利子」の自己偽善による肯定から始まっている。

私は第二章で、ヒトの主体（意識）は、言語よりなる虚構（嘘）だと述べたが、その意識の作る「時」が虚構であれば、それを金という数値、さらに利子という付加価値を加えたものから成る資本主義は、虚構（嘘）から成る数値に基づく欲望による経済だ、ということである。それはヒトが金という虚構の数値と共に、意識という虚構上の価値の拡大である欲望の方向に生きる存在である以上、経済学なるものが狂うのは当然である。

言い換えれば、実体経済という数値で計れぬ、人間に必要な経済の上に、欲望から成る虚構（嘘）の数値による金なる価値を加えたものを、経済学と称したから訳の分からぬものになってしまったのである。

つまり資本主義とは、金、利子という虚構の数値に基づいて成長し、また他方、自然科学というヒトにとって利益であり、欲望をそそる非自然物（商品）を生産することによって、両者は相関的に結び付き、ヒトの欲望（価値の拡大）は一層駆り立てられることになったのである。そしてそれにより、ヒトの中に根差す「力（権力）への意志」が孕む「欲望（価値の拡大）への集団ヒステリー」に火を付けたのが、いわゆる「欲望の資本主義」である。しかもそれは数値から成る虚構であるから、たとえ経済学が科学と名乗ろうとも、学問としては成り立たない。

それは「大恐慌」から「リーマン・ショック」に至るまで、何度も同じ過ちを繰り返していることからも明らかだろう。欲望の資本主義が、なぜそのようなことを度々起こすのかと言えば、ヒトは価値の拡大（欲望）という虚構（嘘）の主体を生きているから、その虚構の数値が儲かると思えば、ヒトのもつ「欲望への集団ヒステリー」は、なんの根拠（実体経済）もなくその数値を上昇させ、理性はもはやその数値から成る欲望の資本主義という集団ヒステリーに、歯止めをかけることができない。

が、ある時、「誰か」がその高い数値に対し、「王様は裸だ」（虚構だ）と言うと、その数値は一挙に暴落する。私がそれに薄気味の悪さを覚えるのは、その「誰か」は数値上、確実に儲けているだろう、ということである。

ここに民主主義＝資本主義の、それが欲望に基づくものであるが故に、格差を生み出す根本原因があると思う。

そしてこのことは同時に、確実に人類を破滅に追いやることになるだろう。なぜなら、ヒトは自然の一部であるに過ぎず、それを欲望に基づいて、虚構である科学による非自然物を生み出させ、地球を覆うということは、いずれ自然の存在である人類の存在そのものを脅かし、許さぬことになるだろう。それは人間の欲望が生み出した原子力、地球温暖化、また非自然物の氾濫による自然破壊等によって、地球はもはや人類の住める惑星ではなくなるだろう、ということである。

第五章　ニヒリズム（虚無）と無

ニヒリズム（虚無）・無の感覚を言葉で伝えることはまったく不可能である。また理屈として理解してもらうことも困難である。その上、戦後の日本人は「考える」能力ゼロ、マネ能力一〇〇のゴマ摩り頭であるから、武士道、禅の無で「考える」ことのできる者は皆無といっていい。だが、そこから理解してもらうしかない。

それに対して、西洋人がニヒリズムを理解することは、日本人以上に困難である。なぜなら、彼らの「私」（個）の思想は、キリスト教という疑似群れ宗教集団価値というニヒリズムの上に成り立っており、そのニヒリズムの思想はニーチェのようにキリスト教の価値観を否定した上でしか成り立たぬし、また否定してしまえば「私」が成り立たぬことになるから、彼はその狭間《はざま》で狂気に陥ることになったのである。

ちなみに私がニヒリズム（虚無）から、辛《かろ》うじて脱出できたのは、日本には「無」の思想があったからである。

ニヒリズムは分かりにくい思想である。従って本書はこれまでやってきたニヒリズムの定義——それらは拙著『ニーチェから見た資本主義論』『ニーチェを超えて』『天才と狂気との関係について』等——から入る方法を止めて、敢えて後ろから書くことにしたのである。なぜなら、ニヒリズムへの理解は極めて困難であり、——ニーチェが狂ったことからも明らかだろう——読者は私のその定義に対し、読み出してもすぐに放り出してしまうことが、十分予想されたからである。

以下、分かりにくい部分もあるだろうが、そうした理由でニヒリズム（虚無）・無を最後に持ってきたのである。

ニヒリズム・無とは、一言でいえば、神秘体験（神とは関係ない）という「進化の逆行」によって、サルないしは原ヒト（両者の違いはいずれ分かるだろう）にまで戻ってしまうことで起こり、これはあくまで比喩として言うのだが、それはフロイトの無意識のように、それを意識から見下ろすのではなく、逆に無意識というニヒリズム・無の地点にまで進化を逆行させ落ちて、そこから意識の世界を見上げるのである。

ここでまず、ニヒリズムにおける進化の逆行について言えば、サルからヒトの意識（言語化）にまで進化する中間過程において、ニーチェは「肉体のなかに住む『本来のおのれ』」というニヒリズムの体験を、彼独特の表現で行ったことである。つまり彼があのような表現をしたのは、彼が西洋人であり、キリスト教を否定しても、彼の歴史的古層はあくまでキリスト教の「私は考える」――群れ本能的価値を失っている――で考えるしかなかったから、あのような表現法になったのである。

それに対して日本人は武士道、禅による身心の脱落によって進化を逆行させると、それはニーチェの表現法を借りれば、「肉体のなかに住む『無』」になるのである。では、なぜ無になるのかと言えば、日本は戦争社会ではなかったから、群れ本能的価値（原ヒト）を維持したままであり、従ってその「私たち」群れは、「考える」ことができない。だから無の思想は、言語としての思想化、言い換えれば、「私は考える」として意識化ができなかったが故に、奇妙な表現になるが、「無私」の「私」で「考える」しかなかったのである。武士や禅者の思考法がそのようなものであれば、「村」人は一切「考える」ことはできず、「村」道徳価値観の「空気」のなかで猿マネするしかなかったのである。それが戦後日本の墓場化の本質である。

いずれにせよ、肉体の思想とは、サルからヒトへの意識に至るまでの進化の中間過程においての意識以前の状態――「私」を持つに至らなかった日本人は、西洋人のような意識の思考はできなかった――を、ニーチェはニヒリズムといい、日本の武士・禅者は無といったのである。

では、その肉体の思想（思考）とはなにか？

そも宇宙は四次元であり、地球上生命も四次元生命として生の上昇、あるいは力への意志としての、食うか食われるかの進化の世界を生きてきた。そしてその生命は、サルないし原ヒトにまで進化し、世界を言語によって価値化し、そこに生まれた三次元（時間と空間との）世界という虚構（嘘）の世界を生み出すことによって、それまでの生命が、単に力への意志に基づく、進化という食うか食われるかの世界での、生の上昇を生きていればよかったものを、それを言語に基づく意識――日本人は西洋人のような性質の意識を持たない――による価値（言語という虚構（嘘））の拡大（欲といってもよい）に置き換えることになったのである。つまりヒトは生命が本来生きている、肉体の思想である四次元身体、またそこでの生の上昇（力への意志）であったものから、進化に基づく三次元身体という虚構（嘘）の身体から生み出された、意識に基づく価値（言語）の拡大という欲の世界を生きることになったのである。すなわちヒトは四次元身体という「本来のおのれ」から、進化によって欲（価値の拡大）に基づく虚構の三次元身体（意識）という二重の身体を生きることになったのである。

その事実をニーチェは、すでに述べたように次のように言う。

こうして、この「本来のおのれ」（四次元身体）は常に聞き、かつ、たずねている。それは比較し、制圧し、占領し、破壊する。それは支配する、そして「我」（三次元身体という意識）の支配者でもある。

わたしの兄弟よ、君の思想と感受（三次元身体という意識）の背後に、一個の強力な支配者、知られない賢者がいるのだ、――その名が「本来のおのれ」である。君の肉体のなかに、かれが住んでいる。君の肉体がかれである。

ニヒリズムとは、この「本来のおのれ」という四次元身体であり、そこから見た世界がニヒリズム（虚無）の思想である。従ってそこはニヒリズムという価値のない世界であり、「肉体の虚無ないし無」がある以外、そこには一切の価値はなく、それゆえそこから価値（言語）からなる虚構（嘘）の世界である神話（思想）を作り出すことによって、意識から成る価値の世界を生み出さざるを得なかったのである。『ツァラトゥストラ』とはそうした書物である。

しかし現代人はすでに既成の価値の世界を生きており、その価値の視点からしか世界を見ることができぬから、まったく価値のないニヒリズム・無というものは理解できない。それを理解するにはただ一つ、価値を脱落し（進化を逆行させ）、サル（ニヒリズム）ないしは原ヒト（無）にまで落ちるしかないのである。つまりニヒリズム・無は「肉体による思考」によってしか理解できぬのである（それがほとんど不可能なことだとは、十分承知して言っているのだが）。そしてそこ（ニヒリズム・無）から見る世界は、「肉体」の持つ「力（権力）への意志」（生の上昇）だけであり、そこで苦闘しつつ言語による思想（神話）化を図るしかないのである。

ここで話を進めるために、これまで述べてきたことを整理する。

ヒトは「本来のおのれ」というニヒリズムである四次元身体から、力への意志に基づく進化によって価値（言語）の拡大（欲）である虚構（嘘）の身体である三次元身体（意識）を生み出すに至るのである。このことは、ヒトは「本来のおのれ」という四次元身体と、言語（価値）から成る虚構（嘘）の身体である三次元身体（意識）との、二重の身体を生きているということである。

そも生命進化とは、外部環境から入ってくる情報を本能（あるいはそれに類するもの）に下降・蓄積し、その情報を基に生存競争を生き残るために、自らの生を上昇させ、環境に適応できるように身体を変異させてきた。そしてそれによる言語化によって、ヒトにまで進化したのも、このメカニズムによるものである。そうであれば、ヒトは環境から送られてくる情報（言語）を、三次元身体（意識）を通して四次元身体（本来のおのれ）に下降・蓄積していることになる。

別言すれば、その間（四次元身体と三次元身体との間）に、言語による記憶の層である記憶層というものが生まれることになり、ヒトはその層の言語より成る意識の世界を生きることになるが、その言語は必ずしも意識を通して四次元身体にまで下降・蓄積するとは限らない。つまり暗記のような知識だけの言語（記憶層の表面だけの言語）も記憶できる、ということである。さらに言えば、四次元身体と係わった言語は、四次元身体内に下降・蓄積されることによって深さを持つ言語（価値）になるが、単に暗記のような三次元身体の言語は、意識の表面だけの言語であって、四次元身体に下降・蓄積される深さを持つものではない。

その事実は、その言語が四次元身体にまで下降・蓄積したか否かによって、その意識の質がまったく異なる、ということである。

たとえば、戦争体験者は、その体験が四次元身体と係わっているから、その言語は四次元身体内に下降・蓄積されるが、そうでない、ただその体験談を聞いただけの人の記憶は、単に三次元身体内の暗記的知識に止まる。つまり戦争体験者の話は、非体験者にはその本質においてまったく伝わらぬ、ということである。戦後日本の西洋かぶれの知識人はこれに当たる。

これは一生懸命、戦争体験の語部《かたりべ》的なことをやっておられる方にはお気の毒だが、まったく無駄だということである。それより義務兵役制のようなことを行って、戦争とはいかなるものであるかを、四次元身体内に下降・蓄積させ、記憶させる方がはるかに効果的である。そうであれば、朝日新聞のような間の抜けた戦争報道をする者もいなくなるだろう。

つまり記憶層には、その表面（意識の上っ面）である三次元身体から、その深部である「古層」（四次元身体、「本来のおのれ」）に至るまでの深さがあるということであり、その古層の言語、思想等が、歴史的に蓄積されたものが、これまで再三述べてきた歴史的古層である。これがいわゆる、国民性、民族性と呼ばれるものである。

この視点で西洋人を見るとき、彼らは意識（三次元身体）の思想を生きているから、ハイデガーのように「無を問うのに、あるという仕方で提出するのは矛盾ではないか」（玉城康四郎著『仏教の根底にあるもの』より）ということになるのである。しかし無とは、彼が考えるようなそんな幼稚なものではない。

西洋の意識（「有る」）の思想は、デカルトの「私は考える、故に私はある」に示されるように、（四次元）身体のないところから生み出されたものであり、従ってその視点からしか見ることができぬから、意識に深さがある、ということが分からない（せいぜいフロイト止まりである）。つまり有と無とは対照関係にあるのではなく、無とは「肉体のなかに住む『無』」（四次元身体）なのであって、それは肉体の修行によってのみ達せられる思想なのである。すなわち無とは、武士道における武道、あるいは禅における座禅のような肉体の修行によって達せられるものなのである。しかも西洋人はその意識（「有る」）の思想をもって、理性の哲学でしか世界を計れぬから、「無」など分かるはずもない。

その事実は、西洋思想とは、そこが戦争社会であったから、戦争に強い思想に至っただけに過ぎず、人類のためになるような思想は、実にお粗末なものなのである（それはすでに述べたヒュースケンが、自らの思想を「重大な悪徳」と言っていることからも明らかだろう)。

繰り返しになるが、四次元身体が「本来のおのれ」であり、それが「我」(意識)という三次元身体の「支配者」であるということは、(歴史的)古層(四次元身体)が、記憶層の表面である意識(三次元身体)の支配者だということである。そしてこの古層(四次元身体)が歴史化したものが歴史的古層である。

日本人は士農工商の歴史的古層を生きて来、その中で唯一「考える」ことができたのは、武士だけである。そしてその武士が完全に失われたのが戦後である。だから三島事件を理解できる日本人はいなかった。それは「戦後七〇年、日本は平和憲法によって守られてきた」というような人の頭は、幼稚園児のそれにも値しない。なぜなら、戦後日本がこれまで平和だったのは、単にアメリカ軍が駐留していたから、諸外国が手を出せなかっただけの話である。日本人の知能程度は、敵が攻めてきたとき、日本国憲法という紙切れをかざし「この平和憲法が目に入らぬか」と言えば、敵が平伏すると思っている愚国民である。それに自衛隊が自らを否定する国民のために戦うことは、まずないと考えるべきである。

話を戻せば、この「本来のおのれ」である「古層」（四次元身体）は、サルが本能として持っていたものをヒトの本能的価値（食餌、生殖、闘争、群れの諸価値）化した視点から、私が複眼的に見ているだけのことであって本来は同じである。つまりヒトは、サルの本能を価値化しただけの存在であり、その一つの闘争本能的価値だけでは、西洋戦争社会を生き延びることはできなかったから、彼らに戦うための「私は考える」思考法が生まれることになったのである。そこで彼らはキリスト教をダシに、群れ本能的価値を脱し、「私は考える」に至ったのである。それがデカルトの「私は考える、故に私はある」である。そしてその後、彼らは理性の哲学、意識（「有る」）の思想を持つに至ったが、彼らはそもその単眼でしか世界を見ることができなかったから、自らの思想を外から眺めることができず、その後はただ意味のない「哲学ごっこ」に明け暮れることになったのである。それがカント、ヘーゲル、マルクス、ハイデガー等である。

それに対し、キリスト教とは無縁であった武士は、禅の無のような「無私」の「私」で「考える」ことになったのである。それは「私」のない「無」の思考法であるから、そもそこに西洋のような思想という不毛な構築物を作る必要がなかった（それは『葉隠』、会沢、松陰、西郷等の思想に示されている）。

繰り返すが、無とニヒリズム（虚無）との違いを述べれば、それらは共に進化の逆行ではあっても、日本は西洋の個の社会とは異なり、基本的に「村」（「私たち」）社会であるから、そこには群れ本能的価値を維持してきたという歴史的経緯がある。つまり日本人は、西洋人のようにキリスト教による自己偽善を通して、群れ本能的価値を破壊することもなく、原ヒトのもつ本能的価値を維持してきたから、たとえ進化の逆行が起こっても、「私たち」群れ本能的価値以下への（サルへの）進化の逆行に至ることはなかった。だがその代り、日本人は「有」の思想としての「私は考える」ことはできなかった。

それに対して、西洋人は群れ本能的価値を破壊し、その穴埋めにキリスト教を利用したから、ニーチェの場合のように進化の逆行が起こると、当然のようにキリスト教を否定することになる。つまり西洋人は、原ヒトの持つべき群れ本能的価値が破壊されているから、ニーチェにおける進化の逆行は、原ヒトを超えてサルにまで達してしまい、ニヒリズム（無価値の世界）に陥ることになったのである。そしてそも西洋人において、ニヒリズムに陥るとは、そこから群れ本能的価値の回復を行わなければならぬことになるから、それは当然キリスト教という疑似群れ宗教集団価値の否定に繋がる。なぜなら、西洋文明とは、キリスト教による自己偽善のからくりの上に成り立つ、死から目を逸らすための虚構（嘘）の装置の下に成り立っている世界であるから、それは力への意志（「本来のおのれ」）に価値を置くニーチェにしてみれば、キリスト教（プラトニズム）がまったくの欺瞞だとしか映らなかったのである。それは裏を返せば、西洋ではそれだけ死が身近にあった、ということである。

しかし彼は西洋文明における意識を持つヒトにまで肉体進化したにも拘らず、それをサルにまで進化を逆行させてしまったことによって、彼は狂気に陥るしかなかったのである（彼の狂気を梅毒のせいにする頭を、つまらぬ頭というのである）。

私は不幸にしてニヒリズムという狂気に陥ってしまったが故に、西洋思想のからくりが分かってしまったが、私がニーチェのように狂気に陥らずに済んだのは、日本には無の思想があったからである。

これでニヒリズム・無と歴史的古層との関係が分かっていただけたと思う。

あとがき

正直、私は三島の死を羨んだ。私にとって彼同様「経済的繁栄にうつつを抜か」すだけの生は苦痛だったのである。そのとき私の頭に浮かんだのが、松陰が高杉晋作に宛てた手紙の一節である。

死して不朽の見込あらばいつでも死ぬべし、
生きて大業の見込あらばいつでも生くべし

私に大業の見込みあるかどうかは分からない。だが私は生き、書き続けることを天命として受け止めることにした。だから私の一生は不幸ではなかったと、今では思っている。

著者プロフィール
堀江 秀治（ほりえ しゅうじ）
昭和21年生まれ。東京都出身、在住。
慶應義塾大学を卒業、その後家業を継ぐ。
特筆に値する著書なし。

私の愛国心―ニヒリズム（虚無）と無―

2020年12月15日　初版第1刷発行

著　者　堀江 秀治
発行者　瓜谷 綱延
発行所　株式会社文芸社
〒160-0022 東京都新宿区新宿1－10－1
電話 03-5369-3060（代表）
03-5369-2299（販売）

印刷所　株式会社フクイン

ISBN978-4-286-22186-1